D0306321

蒙台梭利幼儿教育原版翻译教材

THE SECRET OF CHILDHOOD

[意] 玛利亚·蒙台梭利
Maria Montessori/著

揭开儿童成长奥秘的革命性观念

中国发展出版社

被译成37个国家的文字,在世界许多国家都成立了蒙台梭利协会或设立了蒙台梭利培训机构，完全的和不完全的蒙台梭利学校遍及110多个国家。在日益重视素质教育的中国，以她的思想为基础创立的蒙台梭利婴幼儿班和学前班，也越来越受到家长和幼儿园的青睐。

Ⅱ

蒙台梭利教育法之所以能影响整个世界的教育体系，关键在于她在总结卢梭、裴斯泰格齐、福禄贝尔等人自然主义教育思想的基础上,形成了自己革命性的儿童观念。她认为儿童有一种与生俱来的“内在生命力”,这种生命力是一种积极的、活动的、发展着的存在，它具有无穷无尽的力量。教育的任务就是激发和促进儿童“内在潜力”的发挥,使其按自身规律获得自然的和自由的发展。她主张,不应该把儿童作为一种物体来对待,而应作为人来对待。儿童不是成人和教师进行灌注的容器;不是可以任意塑造的蜡或泥;不是可以任意刻划的木块；也不是父母和教师培植的花木或饲养的动物,而是一个具有生命力的、能动的、发展着的活生生的人。教育家、教师和父母应该仔细观察和研究儿童，了解儿童的内心世界,发现“童年的秘密”;热爱儿童,尊重儿童的个性,促进儿童的智力、精神、身体与个性自然发展。她还利用第一手观察资料和“儿童之家”的实验,提出了一系列有关儿童发展的规律。

儿童发展有一个“胚胎期”。即人有生理和心理两个胚胎期,其中心理胚胎期是人类特有的,新生儿期就是这个胚胎期的开始,它

中文版序

I

玛利亚·蒙台梭利,意大利教育家和医生。出生于意大利的安科纳地区。她是意大利第一位女医学博士,于罗马大学毕业后,在本校附属精神病院作临床助手,致力于弱智儿童教育的研究,后成为弱智儿童学校的主任教师。没过多久,蒙台梭利又进罗马大学学习心理学、教育学、哲学等,并创办了第一所“儿童之家”。她在实验、观察和研究基础上形成的对世界教育带来革命性变革的蒙氏早期教育法,赢得了各国同行的尊敬和崇高评价,如英国教育家赞誉她是“20世纪赢得世界承认的、给科学带来进步的最伟大的教育家之一”;美国教育家认为,“当代讨论学前教育问题,如果没有论及蒙台梭利体系,便不能算完全”;德国教育家更是不吝溢美之词,“在教育史上能像蒙台梭利这般举目众知的教育家并不多见。在短期内能够超越国界、世界观、宗教上的差异而在世界上普及的教育理论,除了蒙台梭利教育之外,别无他选。”从蒙台梭利成名至今,世界各国的孩子已经和正在通过她的著作所传播的理念,接受着与传统教育完全不同的自主教育。迄今为止,蒙台梭利的著作已是儿童通过无意识地吸收外界刺激而形成各种心理活动能力的时期。成人应专门设置能满足儿童各种内在需要的环境，以尽量排除不利于生命力成长的各种不利因素。

儿童发展有一个敏感期。“正是这种敏感性，使儿童以一种特有的强烈程度接触外部世界。在这一时期，他们能轻松地学会每样事情，对一切都充满着活力和激情”。她还通过观察，总结出儿童所具有的各种敏感期，以此作为对幼儿进行教育、引导和帮助的参考，促进幼儿的心理正常发展，以免延误时机，给儿童的心理发展造成障碍。

儿童发展具有阶段性。第一阶段(0~6岁)是儿童各种心理功能形成期，其中从出生到3岁是“心理胚胎期”，这一时期儿童没有有意识的思维活动，只能无意识地吸收一些外界刺激；另一个是个性形成期，儿童逐渐从无意识转化为有意识，慢慢产生记忆、理解和思维能力，并逐渐形成各种心理活动之间的联系，获得最初的个性心理特征。第二阶段(6~12岁)是儿童心理相对平稳发展时期。第三阶段（12~18岁）是儿童身心经历巨大变化并走向成熟的时期。

儿童是在“工作”中成长的。蒙台梭利认为，游戏会把儿童引向不切实际的幻想，不可能培养儿童严肃、认真、准确、求实的责任感和严格遵守纪律的行为习惯。只有工作才是儿童最主要和最喜爱的活动，才能培养儿童多方面的能力，并促进儿童心理的全面发展。她将儿童使用教具的活动称之为“工作”，而将儿童日常的玩耍和使用普通玩具的活动称之为“游戏”，儿童身心的发展必须通过“工作”而不是“游戏”来完成。她通过对儿童的观察和研究发现，儿童在工作中有一种对秩序的爱好与追求：他们要求独立工作，排斥成人给予过多的帮助；他们在工作中要求自由地选择工作材料、自由地确定工作时间;在工作中非常投入,专心致志;他们对于能够满足其内心需要的工作,都能一遍又一遍地反复进行,直至完成内在的工作周期。

Ⅲ

为了让中国读者全面了解蒙台梭利的思想,学习与借鉴她所总结的教育方法,我们推出了这套《蒙台梭利幼儿教育原版翻译教材》。

《蒙台梭利早期教育法》,是蒙台梭利博士的第一本儿童教育专著,被译成20多种文字在许多国家出版,本书是她对自己亲手创立的"儿童之家"的经验总结。正是这本书的问世,使她成为全球儿童教育的理论与实践方面最有影响力的教育家之一。本书是蒙台梭利博士对她所进行的教育创新背后的理论原则的揭示,向父母、教师和教育行政人员传授如何"让孩子通过自己的努力去自由地学习"。本书向人们介绍了蒙台梭利方法的指导原则,通过本书所介绍的方法,孩子能发展自己的秩序意识和逻辑思维。

《蒙台梭利儿童教育手册》,是蒙台梭利博士在美国传授蒙台梭利教育方法期间,应无数对她的教育方法感兴趣的父母和教师的要求而写作的一本操作性手册。该手册向人们传授了"儿童之家"所运用的教具和技术,如何为孩子们提供一个进行"自我教育"的环境。从蒙台梭利创办第一所"儿童之家"至今,所有蒙台梭利教室的教具都极为相似,蒙台梭利博士在本书中解释了如何对学前儿童使用这些教具,以刺激他们的观察力、认知力和判断力的成长。蒙台梭利博士强调,对每个孩子的施教方法是不同的,成人的作用,无论是老师还是家长,应该让孩子自己去试验,让他们自己意识到自己的错误,让他们在学习中自己冒必要的风险。它是蒙台梭利方法的全面传授,堪称父母、教师和教育家的必备手册。

《童年的秘密》,阐述了揭开儿童成长奥秘的革命性观念,是一个最富爱心的教育家对儿童发育与成长特征的最生动刻画。正如蒙台梭利所言:"儿童只有在一个与他的年龄相适合的环境中,他的心理生活才会自然地发展,并展现他内心的秘密。"她认为,一个儿童之所以不能正常地发育和成长,主要是因为受到了成年人的压抑,是社会赋予了成年人截然相反的使命:让他们有权决定儿童的教育和发展。在本书中,蒙台梭利博士详细而生动地描绘了儿童的生理和心理特征,揭示了成年人对儿童心理发育的忽视和抑制,提出了儿童发育中有一个"敏感期"的观念,刻画了儿童在智力、秩序感、行走、节奏感、观察力等方面的发育特征,是一本了解儿童发育和成长秘密的最生动的著作。

《发现孩子》,揭示了如何培养孩子的新观念和新方法。蒙台梭利认为,每个孩子都有去观察、对外界作反应、去学习、去集中注意力,甚至让自己独处的需要。为此,她一直致力于打破已有的教育传统,去寻求了解孩子和爱孩子的新方法。在本书中,她描述了孩子的特性,以及如何更充分地唤起孩子学习热情的方法。正如她所言:"即便是对那些非常幼小孩子的教育,我们的目的不应是为他们上学作准备,而是为了他们的生活。"

《有吸收力的心灵》,是蒙台梭利博士的封笔之作,是集她思想和方法大成之作。本书是蒙台梭利博士最受欢迎、并且最能表现她富有革命意义理论的书。在本书中,我们处处能见到她那至今仍显得超前又十分重要的思想。如,教育并非"老师做了什么",而是人类自身自然发展的结果；孩子的知识不是通过教育得到的，而是通过儿童在他们特定的环境中吸取经验而得来的；教育不应该再停留在课程和时间表上，它必须符合人类自身的实际，等等。国际蒙台梭利协会会长克劳德·克莱蒙特这样评价此书："如果我称本书为有史以来最为重要的著作，也许有些言过其实。但我却无法说出有哪本书对人类的未来福祉比这本书更有价值。"

目录

contents

1 儿童的时代 1

儿童正是作为一种精神上的存在而不仅是肉体上的存在，才给人类的发展提供了强大的原动力。也正是儿童的精神，决定了人类发展的进程，并有可能把人类引向更高级的文明。

2 成年人应受到控告 7

在与儿童打交道的过程中，成年人会慢慢变得自私自利，或以自我为中心。他们只从自己的角度出发来看待与孩子有关的一切，结果只能使他们之间的误解越积越多。

3 新生命都有一种本能 11

当一个新的生命降生时，它自身包含了一种神秘的本能，这个本能将指导它如何活动，形成什么样的特性及怎样适应环境。

4 新生儿的降生 15

我们对新生儿的态度不应是怜悯，而应是怀着一种对造物之神的崇敬，把这个小生命的心灵看成一个我们无法完全了解的神秘世界。

5 母性的天赋本能 20

当母亲努力唤醒她后代的潜在本能时，表现出它不仅仅关心它们的身体需要。也许同样可以说，除了对新生儿的身体健康给予精心照料之外，还应该关注他们的心理需求。

6 心灵的胚胎 23

人们面临的最大问题之一，就是他们没有认识到，儿童拥有一种积极的精神生活。尽管儿童当时并没表现出来，而且他也必须过相当长的一段时间来秘密地完善这种精神生活。

7 儿童心理的发展 30

我们不能再无视儿童的心理发展了，而必须从一开始就去帮助儿童。这种帮助并不在于塑造儿童，因为这一任务属于自然之神，而是在于观察儿童心理发展的外在表现，在于能为儿童的成长提供必要的手段，因为这种手段单靠儿童自己的努力是办不到的。

8 儿童的秩序感 41

儿童具有两种秩序感，一种是外部的，这种秩序感与儿童对他所在环境的体验有关。还有一种是内部的秩序感，它使儿童意识到自己身体的不同部分及这些部分的相对位置。这种敏感必可以称为“内部定位”。

c o n t e n t s

9 儿童智力的发展 50

儿童的心理个性跟我们成人的差别甚远，这是一种性质上的差异，而不仅仅是程度上的差异。儿童关注最微小的细节，他们一定只带着轻蔑的眼光看待我们，因为他不懂得心理综合，而我们却经常使用。

10 儿童成长的障碍 59

成年人应该努力去理解儿童的需要，这样就可以给他们提供一个适宜的生长环境，使他们得到满足。只有这样，才能开辟教育的新纪元，才能真正给人类带来帮助。

11 行 走 64

儿童掌握行走的能力，靠的不是等待这种能力降临，而是通过学习走路获得的。学会走路，对儿童来说是第二次出生，这时他从一个不能自助的人变成了一个积极主动的人。成功迈出第一步，是儿童正常发展的主要标志之一。

12 手 68

人的手如此精巧、复杂，它不仅能展示人类的心灵，而且使人与环境建立了特殊的关系。我们也许可以说人类“靠手征服了环境”。人类的手在智慧的指引下改变了环境，并进而完成了对整个世界的改造。许多时候，年纪很小的孩子在适宜的环境中，

contents

练就的本领和谨小慎微的能力，的确会让我们惊叹不已。

13 节　奏　74

行动的节奏，并不是一个可以随意改变的旧观念。它几乎就像一个人的体形，是一个人特有的特征。当别人的行为节奏与我们接近时，我们就会感到高兴，但是当我们被迫去适应别人的节奏时，就会感到痛苦。

14 人物角色的替换　77

成人能够以儿童的身份去代替儿童做某件事，但决不可把自己的意志微妙地强加于儿童，而应该让儿童自己去做。一旦发生成人替代儿童做事的情形，就不再是儿童自愿去做，而是成人借助儿童去做某件事了。

15 运　动　82

儿童十分喜欢独立地完成工作，并且干得非常卖力。自由行动的儿童，不仅从他的周围与环境中搜集感官印象，并且喜欢一丝不苟地进行他的活动。儿童是通过个人的努力和从事各种活动成长起来的，因此他的发展既依靠心理的因素，也依靠身体的因素。

c o n t e n t s

16 成人对儿童缺乏理解 86

教育和生活本身的目的就是一个理性的人能够支配自己的行动，使得他的行动不仅仅因为感官的刺激而本能地应用，而是受理性本身的控制。如果一个人无法达到这个目的，他就不能获得理性的人所渴望的那种人物角色的统一。

17 爱的智慧 89

儿童的爱，从本质上说是单纯的。他爱，也许是因为他想获得感官印象并借助这些印象不断成长。

18 儿童的教育 94

儿童只有在一个不受约束的环境中，即在一个与他的年龄相适合的环境中，他的心理生活才会自然地发展并展现他内心的秘密。如果不坚持这条原则，那么今后的教育只能使人更深地陷入到无穷的混乱中。

19 观察与发现 102

我意识到，对儿童来说，每一样东西不仅应该物放有序，而且应该适合儿童的需要。只有让教具不发生混乱的情况，并且淘汰不需要的用具，儿童的兴趣和专注就会油然而生。

c o n t e n t s

20 教育儿童的方法 117

我们可以把教育影响儿童比作培育新品种的花。园艺家通过适宜的照管和处理，能够改良花的香味、色彩和其他的自然特性。我们并没有看到方法，我们所看到的只是儿童。我们可以看到儿童的心灵摆脱了障碍的束缚，依照其本性发挥作用。

21 娇生惯养的儿童 123

这类富家孩子不会被花园中的小径、美丽的花朵和高雅的环境所吸引。他们对那些令贫穷儿童着迷的物体并不感兴趣，他们也不会选择那些本应能满足他们需要的物品，因此，他们的教师感到迷茫和气馁。

22 教师的心理准备 129

观察儿童的方法是极为重要的。所以，仅仅有教育理论知识是不够的。教师必须系统地研究自我，使自己的内心作好准备。

23 偏离正轨 134

一个人不可能会被很微不足道的东西引入歧途。这种东西在所谓的爱与帮助的伪装下，在人毫无觉察的情况下蔓延开来。但实际上，这种情况应归咎于成年人的盲目，这种毫无意识的自我中心会对儿童产生极为恶劣的影响。

c o n t e n t s

24 心理与身体健康 153

一旦出现了心理偏离正轨的情况，人们就失去了保护和确保自己处于健康状态的敏感性。当儿童被安置在一个能使他们以正常的方式生活和自由地活动的环境中时，他们的许多疾病和病态就会像许多道德缺陷一样自动消失。

25 成人与儿童间的矛盾 158

成人与儿童之间的矛盾所产生的后果，几乎会无限地扩展，这种情形就像把石子扔进平静的湖里所泛出的层层涟漪一样。正如通过对水的涟漪的观察能使人们发现引起水波动的原因一样，心理分析学家和医生也能追踪到身体和心理疾病的根源。

26 工作的本能 161

工作，应该是人们获得幸福的源泉，是保持健康和恢复正常的一条原则。儿童的成长和发展，有赖于不断缩短他与环境之间的距离。这是因为，儿童只有不再依赖成人，才能发展自己的个性，即我们所说的获得“自由”，适宜的环境将有益于儿童的成长。

27 两种不同的工作 166

成人与儿童是相互联系的。就儿童的活动领域而言，成人是他们的子孙和依赖者；正如对成人的活动领域而言，儿童是成人

c o n t e n t s

的子孙和依赖者一样。儿童是生活在成人之中的自然人，他发现自己处于一个格格不入的环境之中，他与成人的社会生活毫不相关。

28 主导本能 174

大自然最辉煌的奇迹之一就是使没有任何经验的新生儿拥有力量去适应外部世界，并能保护自己免受外界的伤害。这些新生儿之所以能做到这一点，是借助了敏感期部分本能的帮助。

29 作为教师的儿童 181

儿童中隐藏着未来的命运。任何希望给社会带来利益的人必须保证儿童的心理不偏离正轨，并且需要密切注意儿童的自然行为方式。儿童是神秘和强有力的，并且在他们中隐藏着人性的秘密。只要儿童不能按照自然的规律发展并且受到心理偏离正轨的折磨，人类就将永远是不正常的。

30 儿童应该享有的权利 184

人们应该为以下的做法感到良心不安：他们忽视、遗忘了儿童的权利，他们没有认识到儿童的价值、力量和儿童的真正本性。

PART 1

儿童时代

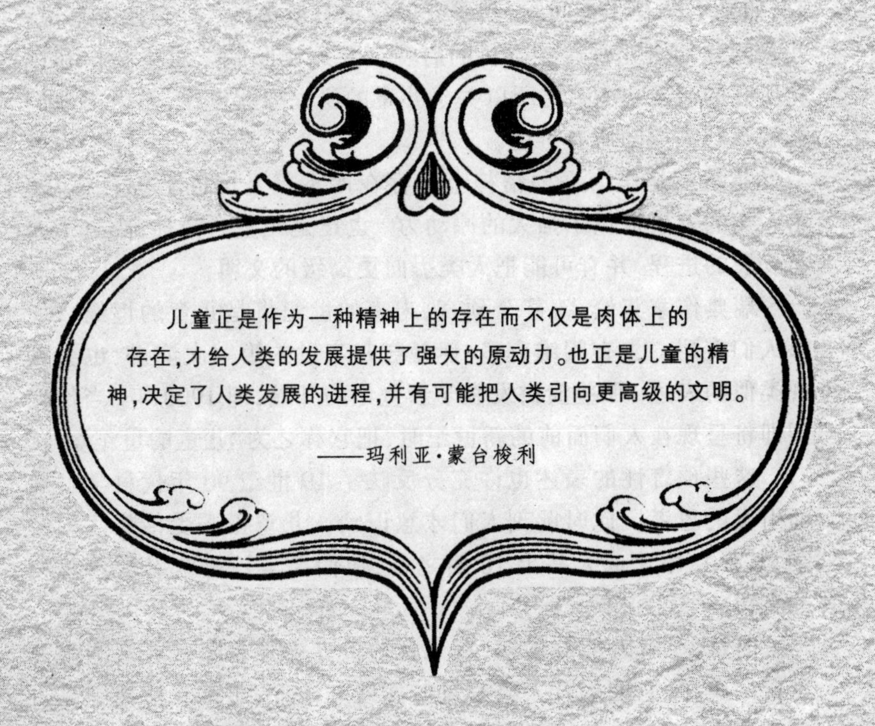
儿童正是作为一种精神上的存在而不仅是肉体上的存在，才给人类的发展提供了强大的原动力。也正是儿童的精神，决定了人类发展的进程，并有可能把人类引向更高级的文明。

——玛利亚·蒙台梭利

近年来，我们这一社会在儿童护理和儿童教育方面取得了十分惊人的进展。这些进展主要归功于人们心灵不断的自我觉醒，而不仅仅是生活水平的提高。首先，起步于19世纪90年代的儿童健康保健已经取得了很大发展。其次，在儿童个性研究方面，人们也得到了许多新的重要启示。

当今，不论从事医学、哲学还是社会学的任何一个分支的研究，如果不涉及儿童问题，其研究就很难有所进展。打个比方来说，儿童问题的研究对这些学科的启发，要远比胚胎学对生物学和进化研究的启发更大。之所以关于儿童的研究如此重要，是因为他们能触及到人类的所有难题。

儿童正是作为一种精神上的存在而不仅是肉体上的存在，才给人类的发展提供了强大的原动力。也正是儿童的精神，决定了人类发展的进程，并有可能把人类引向更高级的文明。

瑞典作家艾伦·凯甚至预言，未来的世纪将是儿童的世纪。如果人们有耐心去查阅维克多·伊曼纽尔三世的第一次演讲，也会发现类似的表述。那些演讲发表于新世纪的开端，即1900年。当他展望即将呈现在人们面前的新世纪时，把它称之为“儿童的世纪”。

这些预言性的表述也许充分反映了19世纪90年代科学发展而引发的思考。此时此刻人们才意识到，儿童正遭受传染病的侵袭，其死亡率比成人高出10倍之多，他们在学校里也忍受着苛刻的责罚。

但是，没有人能够预知，在儿童的世界中是否隐藏着某些至关重要的奥秘，它能揭开人类心灵的面纱。还有，儿童的精神中是否蕴含着某种力量，一经发现就能有助于解决成人自身和社会中的某些难题。只有发现了这些奥秘与力量，才能奠定“儿童研究”这门新学科的基石，而它也将对全社会产生深远影响。

儿童与心理分析

心理分析开辟了一个迄今鲜为人知的研究领域，即探索潜意识的奥秘。尽管心理分析还很难解决生活中亟待解决的问题,然而它能帮助我们了解儿童世界里不为人知的一面。

也许我们可以说,心理分析完成了心理学以前无法做到的事,即通过意识来分析人们内心的秘密，这就如同人类最终到达了古人认为的天涯海角或是大力神海克力斯的石柱。如果说,心理分析至今还无法控测潜意识的汪洋,那么就无法解释,儿童的心理是如何使我们对人类的问题有更深刻的认识。

众所周知,心理分析最初只是医学的一个分支,是治疗精神病人的一种手段。毫无疑问,它成功地揭示了潜意识是如何支配人的行动的。人们用心理分析深入到潜意识层面,以对心理反应进行研究,从而发现导致那些反应的重要而又隐秘的原因。透过这些原因就能触及一个人思想中巨大的未知世界，正是这个未知世界与人的命运息息相关,不过 ,心理分析还无法成功地探索这个世界。弗洛伊德由于他也与古希腊人一样持有一种偏见，这使他只局限于病理学的研究而未涉及对正常人的分析。

上个世纪,精神病学者查克特发现了潜意识。他发现,所有严重的精神病患者都把他们的潜意识暴露无遗，那情形就如火山爆发,沸腾的岩浆冲决地壳喷涌而出。这种潜意识与显意识形成奇妙的对比,这在当时仅仅被看做是一种症状。弗洛伊德在此基础上又向前迈进了一步，他利用一种复杂的技术发现了通向潜意识的途径。但遗憾的是,他所做的实验都局限于精神失常的人。想一想,有多少正常人会随随便便接受一次痛苦的心理测试呢？对他们的刺激程度决不亚于对他们进行一次心灵手术。弗洛伊德只是在治疗精神病人的过程中得出的他的心理学理论,因此,这些理论的产生主要源于他的个人经验,并且是基于对精神失常的病例分析。弗洛伊德看到了潜意识的大海,却未能探索它,而是将它描绘成了一个多风暴的海峡。

这就是为什么弗洛伊德的理论还不够充分，他治疗精神病人的技术还无法让人满意,并且治愈效果也欠佳的原因。正是那些传统的思想与经验的累积使弗洛伊德某些理论的发展形成了障碍，另外对于各种各样的潜意识只靠临床经验和理论推理显然也是不够的。

童年的秘密

在潜意识这个巨大的尚未被开发的领域，需要新的学科和理念来加以充实完善。它们也许有助于我们通过研究儿童对外界环境的反应来透视他们心灵的发展历程，通过及早察觉儿童内心的痛苦挣扎来避免他们误入歧途，从而有助于我们对人类进行更深入的研究。

心理分析最惊人的发现是，一个精神病患者的病因可以追溯到他的婴儿时期。那些重新被潜意识唤醒的往事让人们明白:儿童恰恰是那些难以名状的痛苦的牺牲品。这一发现既令人兴奋,也让人困扰,因为它与人们普遍的看法是完全不同的。童年时受到的心灵创伤所造成的影响慢性而持续，可人们却从不认为它们是造成成年人心理疾病的潜在原因。这类心灵伤害一般由喜欢发号施令的成年人对孩子自然成长中不断施加的压抑造成。它通常与最能影响孩子的人密切相关,尤其是孩子的母亲。

我们应该认真区分心理分析的两个不同层次。其一为较浅的层次,它来自一个人的本能与外界环境的冲突。他必须去适应那种环境，而这又与他的意愿相违。类似这种矛盾冲突还是可以缓和的,因为他还能够在显意识中思考那些引起困扰的原因。然而,还有一种更深层次的心理，需要人们不断加以探索。在童年的记忆中,有一种冲突不同于一个人与他所处的环境间的冲突,它是一个孩子与其母亲,甚至成年人之间的冲突。

后一类型的冲突在心理分析中很少涉及，所以也很难得到解决。人们也很少着手去解决这类问题,它们至多仅仅被当作引起疾病的原因。

现在人们已经认识到,不论治疗身体还是心理上的疾病,都应考虑患者童年发生的事。那些发生于童年时期的疾病是最严重、也是最难治愈的。也就是说,成年人的生活模式实际上很早就被确定下来了。

尽管身体上的疾病已引出医学上一些具体分支学科的发展,例如,胎教和婴儿保健,并且使社会更加关注儿童的身体健康。然而,人类精神方面的疾病却没有引发类似的进展。虽然人们现在已经认识到,许多成年人严重的心理障碍和他们适应生活环境的困难都起因于童年的遭遇,但是人们却没有尝试去缓解儿童的心理冲突。

没有解决这一问题的原因,有部分源于心理分析需要借助技术手段去探索潜意识。这些技术只适用于成年人,却无法用在孩子们身上。人们无法让一个儿童去回忆他童年发生的一切,因为他依然是个孩子。因此,与儿童打交道时,更需要的是观察,而不是打探。要注意的是,这种观察必须从心理的角度来进行,以此来发现儿童与成人和社会之间的冲突。显然,这种方法不需要心理分析的理论和技术,只需要采用"观察"这一新的视角来对待儿童及他们所处的社会环境。

这种观察方法无需对心理疾病进行做艰难的分析,只需把握好儿童心灵中的现实生活是个什么模样,这包括他从出生时起的整个人生。然而,人们至今也没有谱写人类心灵发展的历程,没有描述过儿童在成长中遇到的障碍,还有他与监护他却不理解他的成年人之间的冲突,也没有描绘过儿童那难以名状的痛苦、稚嫩心灵中的迷惑、毫无道理的失败和他们潜意识中的自卑。

心理分析给儿童心理发展的研究提供的帮助很小。而儿童心理研究却恰恰有助于心理分析的发展,因为它的研究对象是普通的正常人,其目的在于预防可能导致精神疾病的心理冲突,而心理分析所关心的也正好是精神病的防治。

就这样,一个能够科学探索儿童世界的新领域诞生了。它与精神分析既类似又有所不同。它的研究对象是正常人而不是精神失常者，而且它将致力于透视儿童的精神生活。它的目标是使人们更多地了解儿童，并敦促人们改变对待儿童的错误态度，让他们意识到这些错误正是自己潜意识所造成的。

PART 2

成年人应受到控告

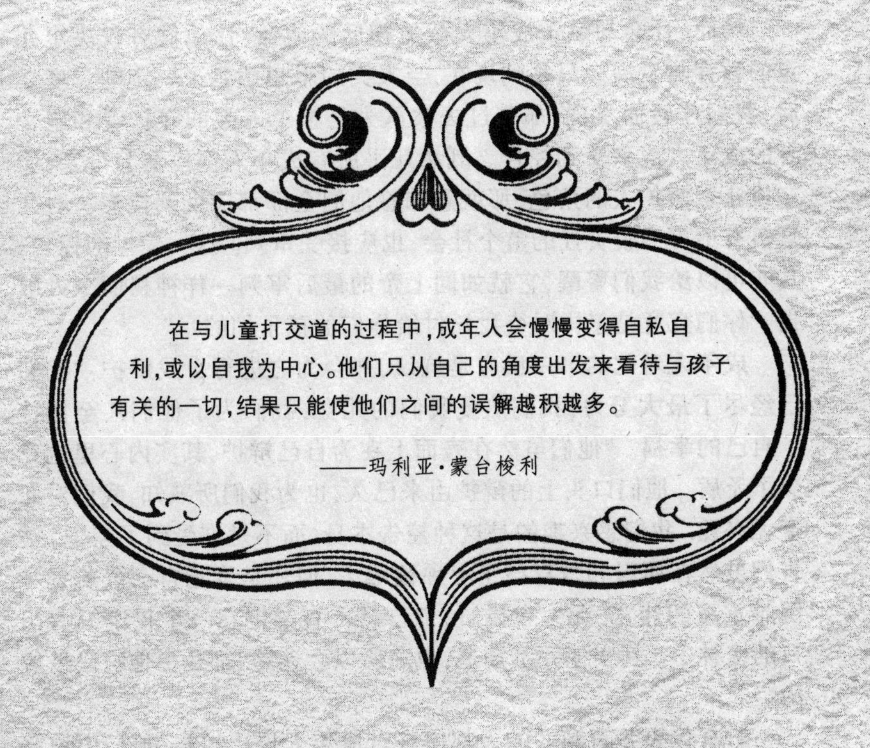

在与儿童打交道的过程中，成年人会慢慢变得自私自利，或以自我为中心。他们只从自己的角度出发来看待与孩子有关的一切，结果只能使他们之间的误解越积越多。

——玛利亚·蒙台梭利

弗洛伊德用“压抑”这个词来形容成年人根深蒂固的心理障碍，这一词的字义已经清楚表明了心理障碍产生的原因。

一个儿童之所以不能正常地发育和成长，主要是因为受到了成年人的压抑。“成年人”这个名词本身是很抽象的。事实上，由于儿童与社会是隔离的，当他受到成年人的影响时，他就变成了一个特殊的成年人，他的行为、举止就会与其最亲近的人相像。这些能影响他的人，通常是他的妈妈、爸爸或老师。

然而，社会却赋予成年人截然相反的使命：让他们有权决定儿童的教育与发展。只是到现在，当人类的思想达到了一定的深度之后，我们才转而发现，那些过去被认为是整个人类的守护者和施舍者的成年人应该受到控告。既然几乎所有成年人都扮演着母亲、父亲或儿童监护人的角色，那就意味着他们全部都应受到控告。对儿童负有不可推脱责任的整个社会，也应接受审判。这一惊世的控告，其实可以给我们警醒，它就如同上帝的最后审判一样神秘而令人敬畏：“你们究竟是怎样对待我托付给你们的孩子们的？”

成年人对此的第一反应是抗议，并会为之进行自我辩护：“我们已经尽了最大努力，我们热爱我们的儿女，我们为了他们甚至牺牲了自己的幸福。”他们虽然在表面上在为自己辩护，其实内心里也充满了矛盾。他们口头上的辩护由来已久，也为我们所熟知，我们对此毫无兴趣。我们感兴趣的是这种控告本身，而不是谁受到了控告。被告们虽然在照料和教育孩子上殚精竭虑，但还是发觉自己恍若置身困难重重的迷宫，无力自拔，仿佛自己一直徘徊在一个根本没有出口的密林中。其实他并不知道，他之所以会迷路，都是由他自己造成的。

所有代表儿童利益的人都应该对成年人提出控告，他们应该坚持不懈地这样做。

我想，这一控告会立即引起人们的浓厚兴趣。因为它公开谴责的并不是那些见不得人的错误，并不是那种让人觉得自己丢人、没用的错误,而是要指责一种在无意识下犯下的错误。这种指责能使人们加深对自己的了解,从而提高自己的精神境界。实际上,人类每一个真正的进步不都是因为发现和利用了未知的东西!

为此,人们对自己所犯错误的态度总是如此矛盾:对有意识犯下的错误感到痛心,而对无意识犯下的错误却不置可否。其实,在无意犯的错误中隐藏着巨人的机会,即一旦人们认识并克服它,就能使自己超越某个已知的、或梦想达到的目标,并使我们最终得到进一步提高。这就是为什么中世纪的骑士会对自己作如此真诚反省的原因。当他因个人荣誉受到哪怕最微小的侵犯而准备战斗时,会先跪在祭台前谦卑地承认:“我首先宣布，我有罪，这是我自己的过错。”《圣经》中就讲述了大量这类惊人的、自相矛盾的例子。想一想,在尼尼微,人们为什么会聚集在约拿的身边?为什么所有的人——从国王到平民——都渴望加入以约拿为核心的那群人中?又比如,洗礼教徒约翰是如何将人群召集到约旦河畔的?他究竟用了什么具有魔力的咒语将如此众多的人聚集于那里的?

人们蜂拥而去听别人对自己的控告,而后他们又聚在一起赞成控告者对他们的指责,承认他们自己做错了。这确实是个奇怪的现象。正是这些尖锐的、持续的控告,把他们的意识从潜意识中唤醒。所有心灵上的进步都是经由把不自觉变为自觉,并进而征服自觉、征服自己的思想而取得的。正是沿着这条路,人类的文明才不断前进。

如今,要想不再像从前那样错误地对待儿童,把他们从内心的冲突与危险的思想中解救出来,首先必须进行一次彻底的变革。在此基础上,一切也将随之而变。这种变革必须在成年人中进行。的确,尽管成年人宣称,为了孩子他们正在倾尽一切所能,并进一步声明他们牺牲了自己的幸福来成全对孩子的爱，他们也不得不承认,他们确实遇到了难以解决的问题,对此,他们必须从现有的知识以外去寻求答案。

尽管关于儿童依然存在大量未知的东西,他们的心灵中也有大量我们不甚了解之处,但我们必须去认识这些。我们必须怀着一种激情和牺牲精神去开发这片未知的领域,就像怀揣着梦想去海外寻求金山一样。这是那些想寻求儿童深处未知因素的成年人必须做的事情。所有的人都应该参与此事,不论其国籍、种族或社会地位,因为这是人类精神文明进步必不可少的要素。

成年人至今也无法理解儿童和青少年,因此,他们之间仍然因为无法沟通而不断产生冲突。问题的解决并不在于成年人应该去掌握更多的知识或者提高他们的文化水平,而是他们必须找到一个完全不同的出发点,必须认识到他们因为无意识所犯下的过错。这些错误有碍于他们真正理解儿童。如果成年人不做好纠正错误的准备,没有采取与这种准备相应的态度,他就不可能进一步了解儿童。

反省自身,并没有想象的那样困难。就如同一提起药物,人们就会联想到它能用来治病,也如同一个指关节脱臼的人必然渴望它能复位一样。同样地,当一个人意识到自己犯了错时,他就会感到有种无形的力量迫使他去改正,因为一旦他清楚了错误的原委后,就再也无法忍受从前那种不知名的、无助的痛苦了。

当生活步入正轨后,一切又将顺利进行。只要我们认识到我们的确在过多关注自己的同时忽视了儿童,只要我们相信自己实际也能够做到那些自以为力所不及的事情,那我们就会渴望去了解儿童的心灵,并会发现他们的心灵与成人的心灵之间存在着截然不同之处。

在与儿童打交道的过程中,成年人会慢慢变得自私自利,或者以自我为中心。他们只从自己的角度出发来看待与孩子有关的一切,结果只能使他们之间的误解越积越多。正是由于这种以自我为中心的观点,成年人把儿童看做是心灵里空无一物、有待于他们去尽力填塞的某种东西而已。因为把儿童看做是脆弱的和没有自理能力的某种东西,为此成人就觉得必须替他们做所有的事。因为把儿童看做是缺乏精神指导的某种东西,因而觉得需要他们不断地给予指导。总之,我们也许可以说,成年人把自己看做是儿童的造物主,他们只站在自己的立场上来判断儿童行为的正确与否。他们把自己当作标尺来衡量儿童的善与恶,他们认为自己是完美无缺的,儿童必须以他们为样板来塑造。儿童的任何举动一旦偏离了成年人的方式,就会被认为是邪恶的,必须马上予以纠正。

成年人如果以上述方式对待儿童的话,即便他能说服自己以这样做是出于对儿童无比的热爱和忍痛做出的自我牺牲来,事实上都是在无意识地压抑儿童的个性发展。

PART 3

新生命都有一种本能

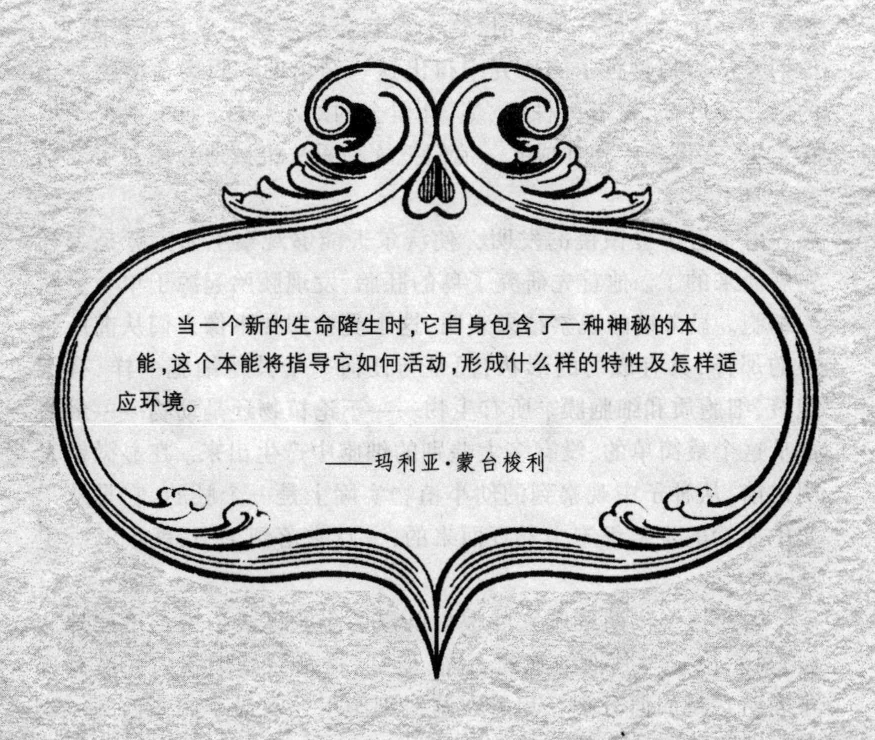

当一个新的生命降生时，它自身包含了一种神秘的本能，这个本能将指导它如何活动，形成什么样的特性及怎样适应环境。

——玛利亚·蒙台梭利

当沃尔夫发表他有关生殖细胞分裂的发现时，他向人们展示了生命体是如何发展和成长的，同时也给世人提供了一个令人震惊的例子以表明生物中蕴含的内在力量到底是怎样达到既定目标的。通过一系列的实验，他彻底摧毁了莱布尼兹和斯帕拉尼等人的生理学观点：一个受精卵就是一个成年人的雏形。那一时期的哲学家认为，受精卵内含一个成比例缩小的人。尽管它不完美，但当它被置于一个适宜的环境中时，这个人就会最终从中发育成长起来。他们是从对植物种子的研究中得出这一结论的，因为在植物种子的两片子叶间，藏有一株根、茎、叶俱全的幼小植株，如果把种子埋在土里，它将会生长并成熟。他们把这种看法机械地套用在了动物和人身上。

由于有了显微镜的发明，使沃尔夫能够观察生命究竟是怎样发展而来的了。他首先研究了鸟的胚胎，发现胚胎起源于单个受精卵细胞。显微镜的观察结果表明，这个受精卵并不像人们从前所想象的那样，具有成鸟的形状，而是与任何一个其他细胞一样，有细胞核、细胞质和细胞膜。所有生物——不论植物还是动物——最终都从这个最简单的、没有多大差别的细胞中产生出来。在显微镜发明之前，从种子中观察到的幼小植物实际上是一个胚胎，它是从果实中原始的生殖细胞中发育而来的，一旦它落到土中，就会继续生长。

因为这个生殖细胞它能根据既定的生长模式，进行迅速地分裂，显示出它与其他细胞的不同，但是，这个原始细胞内并没有迹象表明它将如何分裂，尽管在这个细胞里还有极小的东西——决定它遗传特征的染色体。

如果我们追踪观察一个动物胚胎的早期发展，就可以看到，这个原始的细胞将分裂成两个，接着是四个……这一过程将一直持续到它们形成为一个中空的球体，生物学家称这一时期为“桑葚期”。这个球体会继续向内折叠发展，于是形成另一个有着双层细胞壁、口朝外的球体，即原肠胚。这个细胞经过一系列的分裂和复杂变化，就形成了结构复杂的器官和肌肉。然而，这一过程没有任何可观察到的设计方案。这个生殖细胞只是服从着一种与生俱来的特殊指令，就像一个忠实的仆人，他心里完全清楚主人交给他的任务，无需任何书面的指示，因为书面指示也许会泄露主人的秘密指令，这个秘密的计划只能从那些不知疲倦的细胞所做的工作中才能看到。

所有哺乳动物的胚胎——当然，人的胚胎也是这样——最早生出的器官是一个小囊。它将发展成心脏，它会以固定的节律搏动，其心搏速率是其母亲心搏速率的两倍。它为正在形成中的组织器官提供必需的养分，并将一直这样不知疲倦地工作下去。胚胎的发育实在是造物的一个奇迹，它是如此不可思议，因为它可以独立地秘密完成所有使命。这些细胞在多种转化中依然能做到准确无误。它们有的变成软骨，有的变成神经，有的变成皮肤，并且这些器官也会各自发挥其独立的功能。然而，这一造物的奇迹却被小心地隐藏了起来，自然之神用了一种神秘的东西将胚胎包好，只有她自己才能在适当的时候将它们打开，把一个新的生命带到世界上。

这个降生的小生命决不仅仅是个物质机体。它就像一个生殖细胞一样，它自身也有既定的心理法则，它的机体不仅仅是通过各种器官发挥功能。它具有一种本能，但这无法在单个细胞中，而只能在活的机体中才能找到。正如每一个受精的卵细胞本身包含了整个有机体的发展蓝图一样，这个新诞生的小生物不管属于什么物种，它本身就有一种心理本能，使它能适应环境。每一种生物——即使是最低等的昆虫——都是如此。蜜蜂惊人的本能使它们能在复杂的环境中生活和工作，但这种本能无法在卵或幼虫中发现，只有成熟的蜜蜂才具备。同样，一只鸟只有在孵化出来之后，才会有飞的本能。

当一个新的生命降生时，它自身就包含着一种神秘的本能，这个本能将指导它如何活动，形成什么样的特性及怎样适应环境。动物所置身的外界环境不仅仅给它提供生存的手段，它还为每一种动物的形成提供刺激。外界环境就是这样以它自己的方式为整个世界的协调发展与生生不息做出了贡献。每一种动物都有最适合它生长的外界环境,都有自己与众不同的机体特性,使它能对世界整体系统的完善做出贡献。一个动物在世界中所处的位置从它一出生就能得到确认,比如,羊羔安静,而狮崽暴烈,蚂蚁总是辛勤地工作,而蝉只能孤独地吟唱。

与低等动物一样,新生儿也有其特有的心理规律。如果认为人类尊贵的心理世界远比其他生物高级,就断定人类没有心理发展的过程,这种观点是很荒谬的。与残忍动物的本能不同,儿童的心灵是深藏不露的,不会立即表现出来。儿童不受那种在非理性生物中发现的既定本能支配,因而它有较大的发展空间。由于每个儿童将有不同的发展,适合他们成长的外界环境也应该为他们精心地量身定做。在儿童的心灵中有着不为人知的神秘,随着心灵的成长,会逐渐显现出来。像生殖细胞在发展中遵循的某种模式一样,这种深藏的秘密也只能在不断发展的过程中才能被发现。

因此我们认为,只有儿童才能揭开人类发展之秘。这一发展看上去是自发的,其实它是按着一种既定的规律发展着。由于儿童十分娇嫩,就像所有幼小的生命一样,他们的心灵需要得到保护,需要让他们置身于一种能保护他们的环境中,这就如同自然之神会找来材料,保护胚胎一样。

PART 4

新生儿的降生

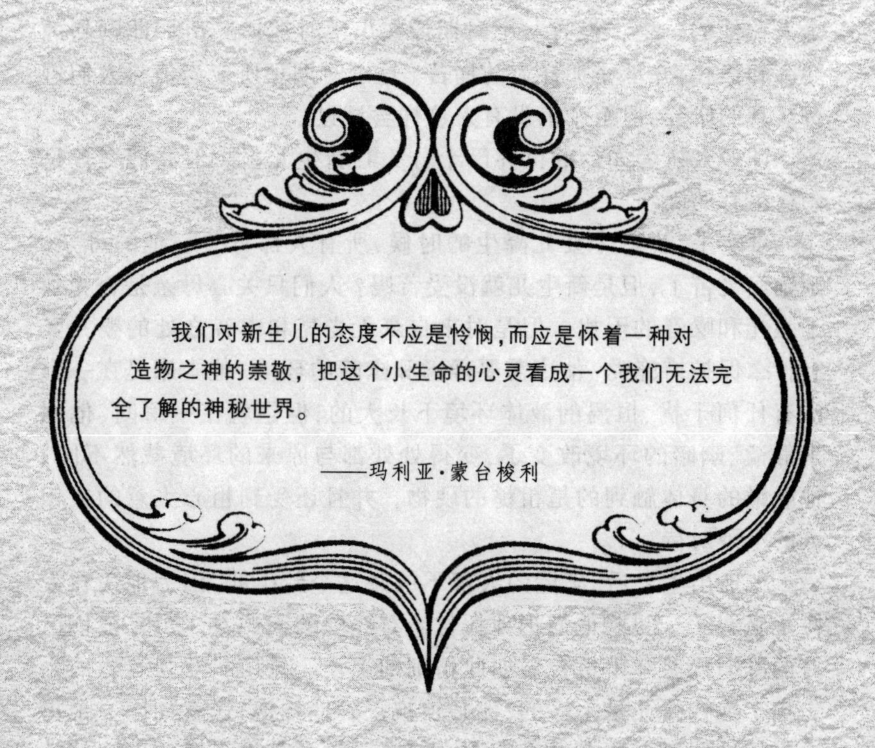

我们对新生儿的态度不应是怜悯，而应是怀着一种对造物之神的崇敬，把这个小生命的心灵看成一个我们无法完全了解的神秘世界。

——玛利亚·蒙台梭利

新生儿出生时所面对的环境并不是一个自然的环境，而是一个已经被人们彻底改造了的环境。是人们为了自己更方便地索取，为了更安逸的生活方式，而建立的一个与自然环境相去甚远的环境。

当这些弱小的生命从一种环境进入到另一种环境时，他们不得不为此做最艰难的挣扎。但是人们又为新生儿做了些什么呢？一个人在他的一生，没有一个时期像在出生时那样经历如此剧烈的冲突和挣扎，并承受那样大的痛苦。这个时期理所应当值得人们进行认真的研究，但至今仍没有人这样尝试过。

许多人认为如今的世界已十分关心新生儿了。但我们究竟是怎样关心的呢？

事实上，当一个婴儿降生的时候，所有人都只关心他的母亲。她确实受苦了，但是新生儿就没受苦吗？人们只关心母亲是否受到了强光和噪音的干扰，但是对来自毫无光亮和声音之处的婴儿又有什么保护措施呢？他也需要静谧和幽暗的环境。他本来是在一个没有任何干扰、恒温的液体环境下长大的，但是就在一瞬间，他原来静谧、幽暗的环境改变了，变得处处都与原来的环境截然不同。他娇嫩的身体触到的是粗糙的硬物，并且还受到粗心大意的成年人的生硬对待。

在他出生之后，满屋的人都不敢碰这个新生儿，因为他实在太娇小脆弱了，于是，他们把他托付给有经验的人照看。可是他们已有的陈旧经验并不适合做如此精细的工作。只用一双强有力的手去牢牢抱住婴儿是不够的，他必须被正确地托抱，这就如同一个护士受托付照料生病或受伤的人之前，必须学会用正确的方法移动病人，学会扎绷带或敷药而不引起病人过度的疼痛一样。

但对新生儿却没有如此精心的照料。医生并没有为他们做特殊的考虑。当婴儿拼命地哭泣时,也没有人把那当回事儿,听到他哭的那些人还认为,眼泪能清洗眼睛、抽泣能增加肺活量呢。

婴儿一出生以后就立刻被全身包裹。出生不久,他就被紧紧地包在襁褓中。从前在母亲子宫里蜷曲着的幼小身体现在被拉直了,就像上了石膏一样动弹不得。事实上,新生儿无需穿任何衣服,即使是刚刚出生的第一个月也不需要。好在人们在这方面的认识已有所提高。紧裹的襁褓已经见不着了,取而代之的是轻薄的衣服。照此发展下去,让婴儿不穿衣服最为合适。

婴儿应该像画中描绘的那样裸露着。当然,由于胎儿一直生活在母亲体内,当他出生后显然需要保暖。但这种温暖主要应该来自外界的环境而不是他的衣服。实际上这些衣服不能为他提供热量,只是保存他体内已有的温度而已。我们可以在动物是如何照顾他们的幼崽中找到类似的例子,即使这些幼崽身上已经长出了绒毛,它们的母亲仍然在孵化着它们,用身体温暖着它们。

其实我也没有必要坚持认为人们对婴儿缺乏关心。我敢断定,如果美国的父母能够与我对话,他们一定会告诉我他们美国人是如何关心自己的婴儿的。德国和英国的父母也会说这样的话。听了她们的话,我肯定为我没能了解他们在照料儿童方面取得的进展感到十分惊讶。事实上我也知道很多国家在这方面已经取得了一定的进展,但是我仍然坚持要说,到目前为止,世界上还没有一个国家能充分重视新生儿的真正需要。

如果说进步,它表现为人们发现了从前没有被发现的东西,完成了从前认为没有必要或不可能完成的事情。我们必须承认,尽管我们已经为儿童做了不少的事情,但还要做更多的事情。而且这里我还要提及一点:无论我们多么热爱自己的孩子,从他刚一降生起,我们就本能地开始对他提防。凭着一种本能的守财欲,我们赶紧保护我们拥有的每一件东西,即使是毫无价值的破烂。从孩子出生的那一刻起,成人的心理就被这样一种思想支配:管住这个小孩,别让他弄坏任何东西,别让他惹麻烦。当心!看住他。

我相信,在人们更好地了解了儿童以后,他们就会找到更好的方法来照料儿童。对一个新生儿的保护,不仅仅是使他避免受到伤害,同时也应该采取措施使他的心理能够适应周围的世界。实验证明，这样的措施十分必要，并且父母也应当在这方面接受指导。

那些家境富裕的父母依然为孩子准备华丽的摇篮和绣着花边的小衣服。按照这种对孩子的装束标准，如果鞭笞仍然流行的话，他们一定希望买到一条金把手的鞭子。这种奢侈只能表明他们完全忽视了孩子的心理需要。家境富裕给孩子带来的应该是真正的幸福而不应是奢侈的环境。对于婴儿，他最好是能呆在听不到街道的噪音的平静安宁的房间里，而且房间里的光线和温暖都要能够及时调控。

我们还要认真对待抱举儿童的方法。这需要经过一定的训练，以掌握适当的技巧。婴儿始终是弱小的，他也和他母亲一样刚刚经历了死亡的威胁。我们欣喜地看着他们活了下来，这种快乐与满足是一种危险过后的解脱。有时候他可能因为呼吸困难需要供养，或者因为止血机能受损造成皮下出血，但是，我们仍不能把一个婴儿和一个患病的成年人相混淆。新生儿的需要与病人不同，这种需要是迫切想使自己在身体上和心理上适应一个新的陌生环境。

我们对新生儿的态度不应是怜悯，而应是怀着一种对造物之神的崇敬，把这个小生命的心灵看成一个我们无法完全了解的神秘世界。

我曾经见到一个婴儿掉进地上放着的水桶里，险些被淹死。当这个新生儿突然下沉时，他张大了眼睛，伸出了他小小的胳臂和腿，下沉好像使他大吃了一惊。这是他经历的第一次恐惧。

我们触摸和搂抱儿童的方式及由此产生的那种细致入微的感觉，使我们联想起牧师在祭台前的状态。在寂静和黑暗之中，只有一束柔和的光线透过染色的玻璃，牧师就在这种环境中活动。他的手是纯洁的，他的动作是慎重并经过深思熟虑的，在这个神圣的场所洋溢着一种希望和崇高的感情。新生儿也应该生活在这种环境里。

如果我们把对婴儿的照料和对母亲的照料比较一下，并想象一下照顾他们的方式有何不同，我们就会发现自己错在哪儿了。

我们让母亲拥有绝对的安静，为了不打扰她而把她的孩子抱走，只是在喂奶时才抱回来；对婴儿呢，我们给他穿上漂亮的衣服，并且用花边和丝带把他打扮起来，这些使他不得安宁，这些行为无异于让一个刚分娩的母亲立刻起床着装去参加宴会。

我们把婴儿从摇篮里抱到肩上,接着把他放下来,送到他母亲的身边。在我们折腾宝宝时，谁曾想过让一位母亲去遭受如此劳累?!

有人认为这样做是理所应当的，因为婴儿并没有痛苦或欢乐可言,对他过分小心是愚蠢的。对于那些不省人事、危在旦夕的成年人,我们又应该怎么办呢?他们更需要的是身体上的帮助,而不是思想感情上的充分关心。然而,如果我们也这样对待婴儿,那实在是毫无道理的。

我们对人的生命中的第一个时期尚未充分发掘，好在我们也不断认识到了这样做的重要性。正如现在我们所知道的,婴儿如果在出生后第一个月里遭受到痛苦与压抑,将会影响他的一生。如果我们能在儿童身上发现一个人成长所需的要素，那么我们将能在儿童身上发现人类未来幸福的源泉。

人们太不关心新生儿了，尽管新生儿刚刚经历了人生最艰难的危险阶段。当他来到我们中间时，我们几乎还不知道如何照料他，虽然在他身上蕴藏着一种能使我们生活的世界更加美好的力量。

我们在圣约翰《福音书》的序中所读的一句话在某种意义上应该适用于新生儿:“他在这个世界中,然而这个世界却不了解他。”

PART 5

母性的天赋本能

当母亲努力唤醒她后代的潜在本能时，表现出它不仅仅关心它们的身体需要。也许同样可以说，除了对新生儿的身体健康给予精心照料之外，还应该关注他们的心理需求。

——玛利亚·蒙台梭利

在辛苦的哺乳期，哺乳动物凭着本能，精心地照顾他们的后代。以一只普通的家猫为例，它把新生的小猫藏到黑暗的地方，在照顾幼崽时十分警觉，甚至不让那些小家伙被人看到。只是在隔了一段时间之后，当它们变成活泼美丽的小猫时，才让它们出来活动。

生活在野外的动物对它们的后代照料得更加无微不至。虽然它们绝大多数群居生活，但是一个母亲在即将临产时，就会离开它的伙伴，独自去寻找一个藏身之处。幼崽生下来之后，它还会让它们与群体隔离二、三个星期，或者一个月之多。这段隔离时间的长短取决于动物种类的不同。在此期间，这位母亲还充当她儿女的保姆和帮手，它把它们藏到既安静又安全的地方，使它们免受强光和野兽的干扰。尽管这些幼崽通常天生就有已经发育得相当充分的动物能力，可以站立和行走，但它们的母亲还是那样精心地照顾它们，使它们与群体隔离，直到变得更加强壮并能够适应新的环境为止。只有到那时，它才会将它们带回到群体中间去，让它们生活在家族中间。

不论是马、野牛、野猪、狼，还是老虎，这些高等动物的母性本能基本上是相同的，它们表现出来的照顾后代的方式的确令人感动。

一头野牛在她的小牛犊出生之后，会使它远离群体好几周，在此期间，它会细致入微地照顾她的幼崽。小野牛冷了，她就用前腿护着它；小野牛脏了，她耐心地把它舔干净；小野牛饿了，她用 3 条腿而不是 4 条腿站着，以便给它喂奶。就是在她把它带回群体之后，仍然会不厌其烦地照料它。所有雌性的四肢哺乳动物普遍如此。

有些动物并不满足于寻找一个单独的地方生下他们的后代，

它们还千辛万苦地为后代准备一个安乐窝。例如,雌狼会在密林深处幽暗偏僻的地方寻觅到一个洞穴。如果找不到这样的栖身之处,它就会在地上掏出一个洞或者在树半截的树干里筑巢，还将自己胸脯的毛拔下整齐地铺在那里,这不仅给予了幼崽安全和温暖,而且也能使它更方便地喂养幼崽。这些出生不久的小家伙仍旧闭着眼睛,听不到任何响动。在此期间,所有母狼都会主动攻击任何企图靠近它们幼崽的动物。

在家畜当中,这些母性的本能也时常会遭到破坏。母猪甚至会吞吃掉自己刚刚生出的小猪,而野母猪恰恰是最温柔、最富于爱心的母亲之一。同样,狮子如果被关在动物园的牢笼里,也会吃掉自己的幼崽。这更进一步表明,天赋的保护本能只有在不受到人为的束缚时才能正常发展。

哺乳动物的母性本能清楚地表明，当它们的幼崽接触到外界环境时,需要特殊的帮助。当这些小家伙经历了出生的考验以及伴随而来的各种能力的苏醒后,还需经过一个关键的时期,即与群体分离,并得到充分的休息。在这一阶段过去后,它们仍然需要几个月的照管、喂养和保护。

一个做了母亲的动物，在它的幼崽成长为同类中能够独立的成员期间,它不仅关心幼崽的身体需求,而且还关心其天赋本能的发展。而这些努力只有在安静和光线昏暗的场所才能更有效地进行。当一头小马驹的腿长得较有力时,它学会了识别和跟随它的母亲,其外形也更像一匹马了,但母马仍然不允许任何人接近它,直到它变成了一匹小马。同样地,母猫也不允许别人仔细观察它的幼崽,除非在它们睁开了眼睛、开始行走、变成小猫之后才行。

大自然显然极为关注动物的成长过程。当母亲努力唤醒她后代的潜在本能时，她不仅仅表现出关心它们的身体需要而且也许同样可以说,除了对新生儿的身体健康给予精心照料之外,还应该关注他们的心理需求。

PART 6

心灵的胚胎

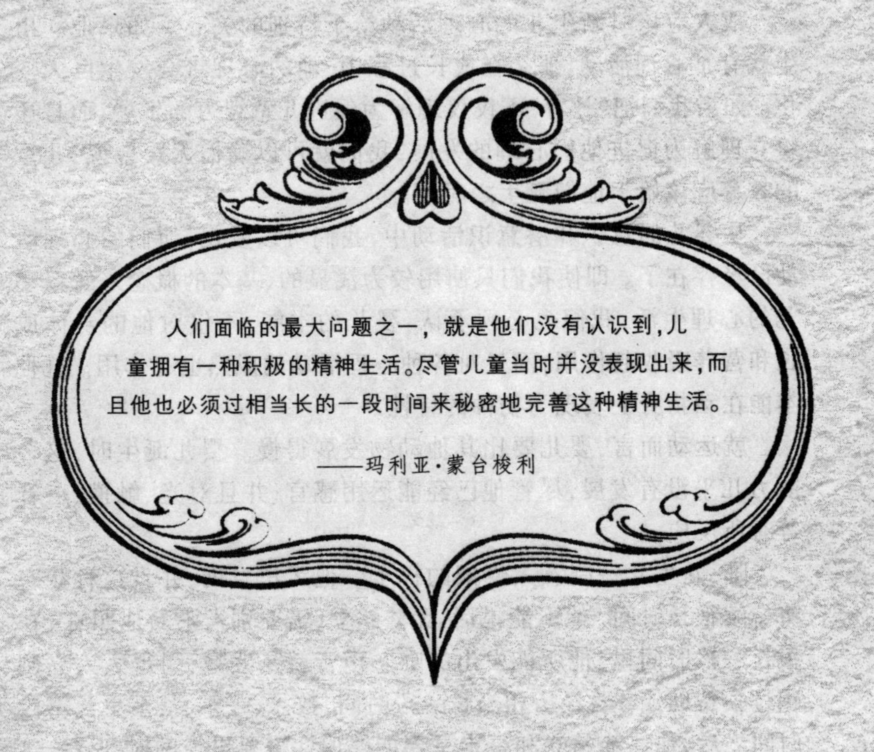

人们面临的最大问题之一，就是他们没有认识到，儿童拥有一种积极的精神生活。尽管儿童当时并没表现出来，而且他也必须过相当长的一段时间来秘密地完善这种精神生活。

——玛利亚·蒙台梭利

在每一个婴儿诞生的时候，我们可以发现一种神秘的、伴随着肉体的精神降临于人世间。

所谓的科学，没有考虑到婴儿“实体化”，它仅仅简单地把新生儿看成一个由一些器官和组织混合而成的生命体。并且即使在这个层面上也带着一种神秘色彩。人们仍然十分惊奇，一个如此复杂的生物究竟是怎样产生的。

成人应该对新生儿的心理活动给予特别的关心。如果他一出生就有了心理活动，那么在成长过程中，他的心理将会发生巨大变化。如果我们把“教育”不仅仅理解为促进儿童智力的发展，而且还将它理解为促进他们心理的发展，我们就可以确信无疑地说，儿童的教育应该始于他们诞生之时。

从婴儿的意识和潜意识活动中，我们可以发现，他们的心理活动已经存在了。即使我们只使用较为浅显的、基本的概念来解释婴儿的心理生活，我们也必须承认：婴儿的本能，不仅对他的身体成长和营养吸收起作用，而且对各种心理活动的成熟也起作用。这种本能在动物身上表现为物种的特性。

就运动而言，婴儿要比其他动物发展得慢。婴儿诞生时，这种能力几乎没有发展，尽管他已经能运用感官、并且对光、触摸、声音等有所反应。

瞧，新生儿一副惹人怜悯的样子。他无法自助，并且这种状态将持续很长时间。他不能说话，无法站立，需要别人不断地照看。在很长一段时间里，他所能发出的唯一声音就是哭喊，引得大人立刻跑过去帮助他。要经历相当长一段时间，数月、一年、甚至更长一段时间之后，他才能站立和行走。要能够说话需要更长的时间。

如果我们把“实体化”理解为一种神秘的力量，它能给新生儿弱小的身体带来活力，促进他成长，教他说话，进而使他成熟完善，那么我就可以把婴儿的这种心理和生理发展说成是实体化。

婴幼儿在很长一段时间里都处于软弱无力。而其他幼小的哺乳动物几乎一出生或只需很短的时间就能站立、行走，寻找妈妈，并且学会了同类的语言，尽管这种语言并不完美，也几乎只能用来表达一种情感。比如，小猫就已经能发出真正的猫叫声，羊羔能发出胆怯的咩咩声，小马驹也能发出哀怨的嘶鸣声，不过，尽管它们能发出声音，但它们更喜欢保持沉默。事实上，这个世界并没有因为幼崽的哭喊而变得嘈杂不堪。

这些幼崽的成长也毫不费劲儿。它们的身体本身拥有一种决定它们以后行为的本能。我们已经知道了幼虎是如何跳跃的，一只用四肢都还不能站稳的小山羊是怎样蹦跳的。所有刚出生的生物都已经拥有一种本能，这种本能将决定它生理器官的功能。而且这种本能将在活动中表现出来，它比生物自身的形体发展更稳定，更能体现此生物的特性。

在动物中，所有比身体生长功能高级的特征都可以被认为是“心理特征”。既然这些特征在刚出生的动物身上可以找到，为什么就不可以在婴儿身上找到呢？

有一种理论把动物的本能解释为，从古至今物种不断积累经验的结果。这种本能是代代相传的。那为什么只有人类在接受他们祖先的遗传时如此缓慢呢？他们一直直立行走、说话，并且总是愿意为他们的后代做些什么。有一种观点认为，人类在心理生活的丰富性上高于其他一切生物，人应该是唯一没有心理发展模式的生物。坚持这种观点是愚蠢的。

在这种明显的矛盾背后肯定隐藏着某个真理。人类的心理能够深深地隐藏而不会像动物的本能那样表露无遗。儿童不受固定的和预定的本能束缚。这一事实表明，他有天生的自由和更大的行动空间。关于这一点，我们也许可以通过人们生产自己使用的不同物品来加以说明。许多产品是“成批生产”的，即它们由机器迅速生产出来，并且都十分相像。而另一些产品则是“手工制作”的，生产它们比较缓慢并且它们个个不同。每一件手工生产的产品的所值所在，就在于它上面留有生产者精心制作的印迹，比如，一件物品表现了刺绣工的技术，而另一件物品则体现了大艺术家的天才创作。

如果我们把这一比较扩展到生物范围，也许可以下这样的结论。人与动物之间的差异就在于：动物就像成批生产的物品，每个个体都具有此物种的特性。与之相比，人就如同手工制作的物品，每个人都有所不同。每个人都有他的独特之处，就像一件与众不同的艺术品。但这需花费更多的精力和心血。在成品没有公之于众之前，必须完成较独特的工作。那不是对现有产品进行简单复制，而是积极进行革新和创造。当这个产品最终问世时，它就会让人觉得惊讶和不可思议。它就像一幅杰作，倾注了艺术家的思想情感，而在向公众展出之前，它一直藏在艺术家的画室里。

人的个性形成是实体化的一项秘密工作。儿童是一个谜。我们知道儿童拥有最丰富的潜力，但是我们所不知道的是他将如何发展。他只有根据自己的意愿才能实体化。

人们通常所说的“肉体”是“由意志所控制的肌肉”的复合体。没有这些与人类精神紧密相关的肉体，人的意志也将无能为力。如果没有运动的媒体“肌肉”，那么任何生物——即使最低等的昆虫——也无法运动。在高级生物中，尤其是人类，肌肉如此繁多复杂，以致解剖学家说：“一个学生对所有的肌肉至少必须研究7遍，才能对它们有初步的认识。”

各种类型的肌肉彼此配合，才能完成最复杂的活动。一些肌肉主动，而另一些则处于被动状态。它们时而一起工作，时而相互排斥。一种抑制总是伴随着一种驱动力以及对这种抑制的调整。许多肌肉一起协调工作，才能完成最复杂的动作。例如，杂技演员的表演，以及把最细微的动作传递到琴弦上的小提琴家的演奏，就是如此。每一动作以及动作的调整都需要其组成部分同时行动，每一块肌肉都将参与工作，从而使动作趋于完美。

但是，人们却从不相信人类的本能。而能够指引人类发展的，恰恰是隐藏于儿童中的一种个人能量。儿童的精神生活是独立于、优先于和能够激发所有外部活动的。

仅仅因为婴幼儿不能站立，或者不能自然地协调他的运动，就认为他的肌肉软弱无力，这是错误的。一个新生儿在移动他的四肢时，显示了他肌肉的力量。吸吮和吞咽是复杂的活动，它包含了大量的肌肉协调动作。初生的婴儿也能像其他动物一样完成这些动作,只是在其他的活动中,婴儿不再受本能的束缚而已。不过就婴儿而言,本能所支配的动作并不占主导地位。当他的肌肉在变得越来越有力的同时,也在等待着意志的支配和调遣。儿童不仅仅作为人类的一个成员,而且也作为一个人在发展。我们知道,他必然能够说话和直立行走,但他也必将表现出自己独特的个性。

当那些小动物还是幼崽的时候,我们就已经清楚它长大后会是什么样。瞪羚的腿将是轻快和敏捷的,大象的脚步将是笨拙和沉重的,老虎会变得凶猛,而兔子将是胆小的食草动物。但是,不同的人长大后却千差万别。他们在婴儿时期明显的弱小状态,实际上是孕育各种不同个性的温床。他在幼儿时含糊的声音终将会成为一种语言,尽管当时还不知是哪种语言。他将尽力去注意他周围的人,模仿他听到的声音,起初是音节,然后是词,并由此学会了说话。在与外界环境接触的过程中,他会积极调动自己的意志,锻炼自己的各种能力。因此,在某种意义上,他成为了自己的创造者。

哲学家们一直对婴儿出生后的这种孤弱状态很感兴趣,而我们的教师和医生直到现在却对此漠不关心。如同许多其他隐藏在潜意识里的东西一样,婴儿的这种状态也仅仅被他们认为是没有任何特殊意义的一个事实而已。

然而,这种态度会危害儿童的精神生活。它使人们误以为不仅婴儿的肌肉不活跃,而且婴儿本身也是软弱迟钝的,没有自己的精神生活。为此,成年人便自以为是地认为,是通过他们的照料和帮助,婴儿才奇妙地成长起来。他们把这种帮助视为一种职责,并把自己想象成儿童的塑造者和精神生活的建立者。他们设想通过对儿童的指导和建议增进其情感、智力和意志,但他们只是从外部完成了这项创造性的工作。

在这样做的时候,成年人声称他们拥有一种神圣的力量,他们自己就是儿童的守护神,并且在按照《创世纪》里的话去行事:“我将按我的想象来创造人。”由此可见,骄傲真是人类最主要的罪恶,他们试图去扮演上帝的角色,正是导致子孙后代痛苦的原因。

事实上,儿童个性发展的关键在于他自身。他有自己发展的方式和必须遵守的规律。在儿童体内必定存在着一种微妙的力量,成年人不合时宜的干预会阻碍这种力量的发挥。从远古时代起,人们就开始干预这种自然规律,他们的行为阻碍了儿童天性的发展,也扭曲了人的本性。

人们所面临的最大问题之一,就是他们没有认识到,儿童拥有一种积极的精神生活,尽管儿童在当时并没有将之表现出来,而且他还必须经过相当长的一段时间来秘密地完善这种精神生活。

儿童就像生活在凄苦的地牢里的一个灵魂。他们希望见到光明,渴望在阳光下诞生,缓慢而又结结实实地茁壮成长。然而在现实中,却始终有一个力大无比的巨人站在边上,等待着猛扑过去,把他们压垮。

在我看来,由于没有人知道什么是实体化,所以也没有人对此做过任何准备。相反,人们在实体化的过程中,遇到了重要障碍。成长中的婴儿像一个精神的胚胎,他需要一个特殊的环境。正如一个肉体的胚胎需要母亲的子宫,并在其中发育一样,精神的胚胎也需要外界环境的保护。这种环境充满着爱的温暖,有着丰富的营养,这个环境里的一切都乐于接纳它,而不是伤害它。

当成人最终认识到这一点时,他们将会改变对待婴儿的态度。因为把婴儿看做是一个正在实体化的精神生命,不仅仅会激励我们,而且还赋予我们新的责任。当我们看着这个像玩具一样的小身躯时,当我们在他的身上倾注了所有关爱时,我们才开始真正理解罗马诗人朱维诺尔所说的话:“应该向婴儿致以最崇高的敬意。”

婴儿实体化的过程是通过一种神秘的力量而努力实现的,这种创造性的成就应该被编撰成册。而其他生物都没有体验到这一过程。这个敏感的不断变化着的小生命在不停地尝试着体验一种自我意识的觉醒。他通过感官去感受外部环境,并通过他的肌肉去接触外界环境。

一个人的精神与他所处的外界环境存在着一种交流。正是外界环境塑造了一个人,并使其趋于完美。婴儿也不得不向他周围的环境妥协,由此使其个性与环境相融合。

通过心灵的指引,婴儿渐渐地长大,并且能够从事复杂的活动。但是婴儿心中也保持着一种警惕,以维护自己心灵的统治权,以免由于惰性而丧失活力。心灵还会不断地下命令,以使其不受固定的本能支配，并且不至于退化而陷入混乱。为了避免这种情况，需要努力增强心灵的活力，为心灵的实体化这项无止境的工作做出贡献。

因此，正如胚胎变成儿童，儿童变成成年人一样，人的个性也是这样通过自己的努力而形成的。

那么，父母能为他们的子女做什么贡献呢？父亲提供了一个肉眼无法看见的细胞，母亲则提供了另一个细胞，她还为受精卵提供了一个生活的环境，以便使它最终能成为一个小孩。如果说父母创造了他们的孩子，那是不对的。相反地，我们应该说："婴儿是成人之父"。

我们应该把婴儿的这种神秘力量看做是某种神圣的东西。我们应该欢迎它表现出来，因为正是在这个创造性的时期，一个个未来的个性被确定了下来。

正因为此，我们必须科学地研究儿童的心理需要，以及为这种需要准备一个适宜的环境。

我们现在处于一门科学的初创期，这门科学必然会取得长足进步。只要人们致力于这门科学，并付出艰辛的努力，必将能认识人类发展的秘密。

PART 7

儿童心理的发展

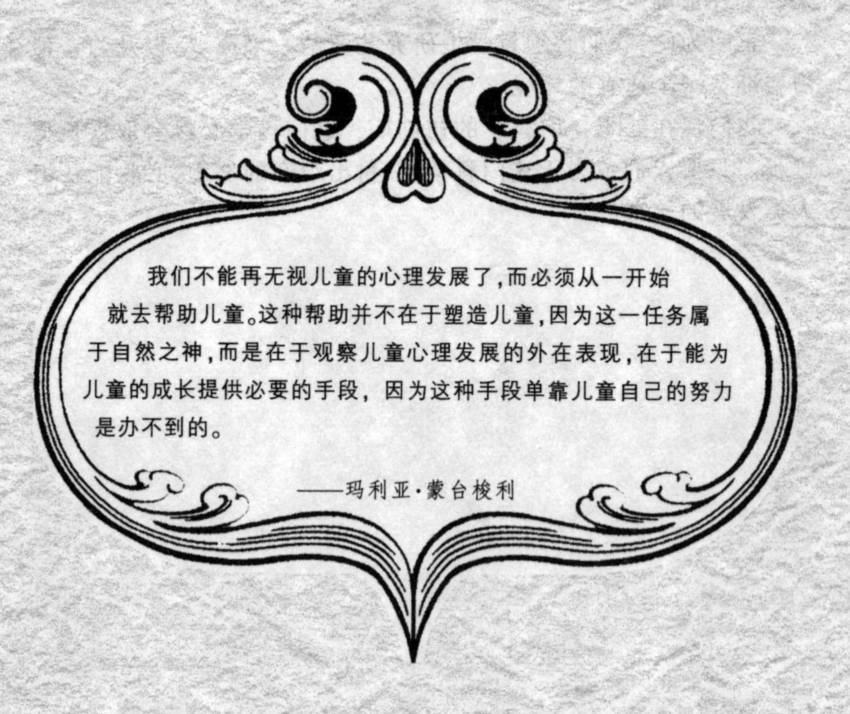

我们不能再无视儿童的心理发展了，而必须从一开始就去帮助儿童。这种帮助并不在于塑造儿童，因为这一任务属于自然之神，而是在于观察儿童心理发展的外在表现，在于能为儿童的成长提供必要的手段，因为这种手段单靠儿童自己的努力是办不到的。

——玛利亚·蒙台梭利

敏感期

即使最小的婴儿所拥有的感觉和知觉，也能在人们开始对其研究之前引起心理的发展。以“说话”为例，这种发展就是秘密进行的，如果认为它没有发展，那就错了。至于有人说，儿童虽然有说话的能力，但他的身体器官还无法适当地表现出来，这种观点也是错误的。事实上，婴儿身上存在着掌握语言的潜质，他的精神生活的各个方面也都存在着类似的潜能。婴儿拥有一种创造的本能，一种积极的潜力，他能借助他所处的环境，构建起一个精神世界。

在这一点上，与生长现象密切相关的“敏感期”的发展具有特别重要的价值。

当我们讲到生长发育时，我们是指一种从外表可以观察到的现象。但是，关于婴儿成长的内部机制，只是到最近才被探索，并且仍未被完全理解。现代科学向我们提供了获得这一知识的两种手段。其一是研究与身体的发育相关的腺体和内分泌。由于它们对儿童的健康极其重要，因此已经得到了研究。另一个是研究所谓的敏感期，它可以使人们了解儿童的心理发展。

荷兰科学家德弗利斯在动物身上发现了敏感期。我们也从学校里的儿童身上发现了“敏感期”，并把它运用到了教学上。

敏感期是指生物在其初期发育阶段所具有的一种特殊敏感性。它是一种灵光眨现的禀性，并且只在获得某种特性时闪现出来。一旦他获得了这种特性之后，其敏感性就消失了。每种生物的特性都是借助于短暂的刺激或潜力而获得的。而成长则不能只取决于一种模糊的遗传,它要靠本能的悉心引导。这种本能是通过对某种确定的活动提供刺激来进行引导的，德弗利斯最先在昆虫身上注意到了这种敏感期。昆虫的各种变异代表了它们各个明显的发育期。

德弗利斯所举的另一个例子是普通蝴蝶的幼虫。我们知道,幼虫生长很快,具有能毁灭植物的贪婪食欲。不过,德弗利斯所研究的那种幼虫,在刚出生的几天里,还不能吞噬大片叶子,只能吃枝头的嫩芽。就像一个好母亲那样，雌蝴蝶本能地把卵产在树干跟树枝交接所形成的角落里,那里既安全又隐蔽。当这些幼虫钻出来的时候,是什么东西告诉幼虫它们所需要的嫩芽就在树梢上的呢?是光线！幼虫对光非常敏感。光线吸引了它,并使它着迷,这样,这些幼虫就会朝着树梢爬去,朝向那个最亮的地方。

在那里,它找到了嫩叶作为食物,以满足它贪婪的食欲。一个值得注意的事实是:一旦幼虫长大到能够吃较粗糙的食物时,它的敏感期就过去了,因为它失去了对光的敏感。这种本能失灵了,完全消失了,它就再也不能感受到特别的光线了。当这种敏感期的有效期结束后,幼虫也将相应地选择其他谋生手段和生活经验。这并不意味它的眼睛变瞎了，而只是表现从此以后它对光线不再敏感了。同样是这只幼虫,过去对吃表现得极为贪婪,而如今它马上开始对斋戒热衷起来,在严格的斋戒中,它为自己打造外壳并置身其中,看起来像死了一般。但实际上,他在紧张地忙碌着。当它变为成虫破茧而出的时候,它已拥有了迷人的双翅,在阳光下熠熠闪光。

我们知道,蜜蜂的幼虫都要经过这个阶段。最终所有的雌幼虫都可能成为蜂王,但这个蜂群只能挑选一只雌幼虫作为蜂王。公蜂会为它准备一种叫做“蜜蜂食料”的特殊食品。这只被选中的幼虫,吃了这种极美的食物后,就会成为这群蜜蜂的蜂王。如果在它已不再是幼虫时才被挑选出,它就不可能成为蜂王,因为那时,它已经丧失了贪婪的食欲，它的身体也将不可能再发展成蜂王所应具备的硕大之躯。

这些例子使我们意识到儿童发展中的一个关键因素。儿童拥有一种生机勃勃的本能。这种本能,能使儿童做出惊人之举。如果这种本能遭到了破坏,那就意味着儿童将会软弱和缺乏活力。成人对这些不同的状态没有直接的影响。但是,如果儿童在其敏感期没有按他的敏感性的指令行事,他将永远丧失这种天赋的力量。在心理发展期间,儿童已经表现出了真正惊人的征服力,只是由于我们对此已习以为常,使得我们对这些奇迹熟视无睹而已。

儿童是怎样从一无所知到适应这个复杂世界的呢?他是怎样辨别事物的呢?他是怎样凭借一种不可思议的手段,无师自通一门语言并掌握所有细节的呢?他就是在生活中,毫无疲劳地、愉快地学会这门语言的。与之相比,一个成年人却需要不断地帮助才能适应新的环境,以及学会一种他感到沉闷乏味的新语言,并且他永远也不可能像儿童掌握自己的母语那样完美地学会这门新语言。

儿童在其敏感期就能学会自我调节和掌握某种东西,这就像一束光能把他的内心照亮,像电池一样能提供能量。正是这种敏感性,使儿童以一种独特的、强烈的方式来对待外界事物。在这一时期,他们对一切都充满了活力和激情,能轻松地学会每件事情。他们的每一次努力都能使自己的能力大大增强。只有当这个目标达到时,他才会感到疲劳和乏味随之而来。

在一种激情耗竭之后,另一种激情将随之燃起。在这种节奏感的刺激下,儿童不断地去征服,这一切使他感到十分欢乐和幸福。正是通过这种在心灵中燃起的激情之火,人们精神世界的创造性工作才会日趋完美。

当这个敏感期泯灭之后,人们心智上的进步,就只能通过思维的加工、主观的努力和不倦的研究才能取得。繁重的工作会使人产生疲惫和厌倦感,这是儿童的心理状态与成人的心理状态的基本区别。儿童有一种特殊的内在活力,它能使儿童以惊人的方式自然而然地征服事物。但如果儿童在敏感期里遭到了障碍而无法正常发育,他的心理就会紊乱甚至扭曲。人们对儿童心理上的创伤仍然知之甚少,而事实上他们的伤痕大多数是由成年人无意识地烙上去的。

迄今我们并不怀疑孩子在生长发育中所表现出的这种特性。我们通过长期的经验注意到,当儿童生机勃勃的活力受到外界的干扰和阻碍时,他们就会表现得难过或愤怒。由于人们不知道他为何有这种表现的原因,就认为他们是在无理取闹,或者以为他们只是想得到我们的抚慰而已，我们因此认为儿童在成长中所表现出的各种行为都是“任性”或“发脾气”。我们还把他们任何没有明显动机的行为,任何固执或无理性的行为当作反复无常。我们也注意到他们的某些发脾气的方式会更加恶化。而实际上它本身就表明，儿童的这些行为方式本身存在着某种原因，而且这一原因在持续不断地产生影响。显然,我们应该为此找到一种治疗方法。

敏感期,这一因素可以解释清楚某些孩子发脾气的原因。但是由于这种心理冲突背后存在着不同的原因，所以我们无法把所有发脾气的原因都解释清楚。另外,儿童反复无常的举动,也是长期以来受到大人们错误对待的结果。与敏感期的心灵冲突密切相关的各种任性的表现,就像敏感期本身一样是短暂易逝的。任性对在敏感期养成的禀性不会具有永久的影响，但是它会产生一种不良的作用,阻碍儿童心理的成熟。

儿童在敏感期发脾气是他们的需要没得到满足的外在表现，这表达了他对某种危险的警觉,或对杂乱无序的反感。只要他们的需要得到满足或者危险被消除,他们就会平静下来。人们有时会发现,儿童在经历了一种近乎病态的激动不安后,会突然平静下来。因此,我们必须寻找儿童每种任性行为背后的原因,我们目前对此知之甚少。一旦找到这些原因,我们就可以深入儿童的内心,了解他们的秘密，并且能为我们与儿童之间的相互理解与和谐相处打下良好的基础。

对敏感期的分析

对儿童实体化和敏感期的研究，也许可以比作去做一次带有探索性的手术。它能使我们看到促进儿童生长的各种器官的功能，它还可以告诉我们,儿童心理的发展不是偶然发生的,也不是外部刺激所引起的,而是受短暂的敏感性引导而发展的,也就是说,他受获得与其特性密切相关的暂时性本能的引导。虽然儿童的心理发展也是在一定的外界环境中进行的，但环境本身主要是一个场所，而不是一个原因，外界环境仅仅提供了心理发展所必需的手段，就像物质环境为身体的发展提供了食物和空气一样。

儿童不同的内在敏感性，使他能从复杂的环境中选择对自己生长适宜和必不可少的东西。内在的敏感性使儿童对某些事物敏感，而对其他事物无动于衷。儿童只对某种特殊的事物具有敏感性，就如同光线只照到了某些物体，而没有照到另一些物体上一样。那些能使儿童产生敏感的事物构成了儿童的整个世界。儿童不仅仅对某些情景和事物敏感，他还具有利用这些事物来使自身发展的独特潜力，因为他正处于敏感期，在此期间他所进行的心理调整，能使他适应环境或者日益轻松、准确地到处活动。

在儿童与环境之间的这种敏感的关系上，也许可以找到解开儿童心理发展疑团的途径。我们也许可以把这种奇妙的创造性活动，设想成一系列来自潜意识的充满活力的行为。当这些行动与环境相接触时，就产生了一个人的意识。它们最初是混乱的，然后将会清晰明了，最后达到能进行创造性思维的境地。

以儿童学习说话为例，我们就可以清楚地看到这一过程。当不同的声音杂乱无章地传入儿童的耳朵时，他们仿佛在顷刻间清晰地听到了某种有趣的吸引人的声音。这些声音听起来就像一种他还未通晓的外国语。瞧，这个还没有思维能力的小家伙仿佛在用心听一种音乐。音乐充满了他的整个世界，这种声音传到了他的神经纤维——确切地说，是那些迄今还潜伏着的并且只有大声召唤才被震动的神经纤维。它们受到了激发，开始有规律地震动，并在某种命令和指挥中改变它们的震动方式。这标志着精神胚胎开始进入一个新的时期，这是一种集中全力于现在的时期，尽管它的前景如何还不得而知。

渐渐地，儿童的耳朵能辨别出不同的声音，他的舌头也运动得更加灵活了。在这之前，他的舌头只能用来吸吮；现在，这个儿童已开始体验到舌头内在的震动了，似乎有某种不可抵抗的能量在驱使着他的舌头运动，使他能感觉到喉咙、脸颊和嘴唇。然而这些震动除了使他得到某种不可言喻的满足外，并没有任何目的。当他能蜷起四肢，握紧拳头，抬起头转向说话的人，并把眼睛紧紧盯住说话人的嘴唇时，他就会表现得十分快乐。

儿童正在经历一个敏感期：此时的儿童有若神助，他的心灵能得到一种神秘的激发。他的内心深处仿佛在上演一部充满爱的戏剧。这种激发正在儿童心灵的秘密领域里展现出来，有时甚至会完全占据儿童的心灵。这种在无声无息中默默进行着的激发不可能不留下高贵的品质，这些品质将伴随儿童一生。

只要儿童所处的环境能充分满足他的内在需要，所有这一切都将悄悄地发生，丝毫不需要人们去专门注意他。例如，“说话”是所有他要掌握的技能中最难的一种。儿童对于“说话”的敏感，还没有引起人们的注意。事实上，由于儿童周围都是成年人，他们之间的对话为这个儿童语言能力的发展提供了必要的条件。唯一能使我们了解儿童这种敏感性的，是他的微笑，这是他对人们用简短、清晰的词语对他说话时，所表现出的快乐。慢慢地，他能区别各种各样的声音，例如类似教堂塔楼钟鸣的声音。或者在傍晚，当成人对着儿童唱着催眠曲，一遍又一遍地重复相同的歌词时，我们就会看到儿童从兴奋变得安静下来，这也是一个明显的例子。伴随这种快乐，他的思维不再活跃，渐渐进入了睡眠状态。这就是为什么我们要用轻柔的声音对儿童说话的原因。我们渴望看到儿童用充满活力的微笑来回应我们，正因为此，从遥远的时代开始，父母一到晚上就会回到想听歌曲或故事的儿女身边。

以上都是儿童具有独特敏感性的正面证据。还有其他证据来表明这一点，虽然它们是反面的，但也十分明显。当某些障碍阻止了儿童敏感性的正常发挥时，这些反面证据就变得更为明显。一旦出现这种情形，儿童的敏感性可能就会在他的激烈反应中表现出来。我们认为这是一种无意识的绝望，把它叫做“发脾气”。但实际上它表现了一种内心的空洞，或者是由于需要没有得到满足而引起的紧张感。这种心理上的紧张，或者表明儿童在内心提出了一种困惑，或是在进行一种自我保护。

发脾气本身可以表现为一种激动的和无目的的行为，我们可以把它比作发高烧。它会突然袭击儿童，可我们却没有找出相应的病理上的原因。正如我们所知道的，通常儿童生了小病，体温就会高得惊人，而这种病实际上并无大碍。儿童的发烧可能来得快，去得也快。同样地，儿童在心理水平上也会由于他特殊的敏感性而产生一种强烈的焦虑不安,而且还没有相应的外部原因。事实上,从儿童一出生,任性或发脾气就在他们身上表现出来了,它们可以被认为是人类心理反常的证据。如果把每一种官能上的失调看做一种官能性的疾病,我们也就得把所有的心理紊乱称作官能性疾病。儿童第一次发脾气就是他心灵的第一次发病。

由于病理状态比自然状态更显着,人们已经注意到了“发脾气”这种情况。当孩子处于这种状态时,他从来不是平静地提出问题和要求得到回答,而是处于一种故障和失调状态。这不是自然的规律,而是对自然规律的违背。因此,几乎所有人都注意到了这种异常情况。伴随着这种表现的则是生命的创造力和保护创造力的举动,而创造力和保护它的本能却仍隐藏着。

在生物中发生的事情同样也会发生在人们制造的产品上。这些产品一旦制成,就被置于玻璃罩中,但是比产品本身更值得研究的制造厂却没有对公众开放。同样地,人体内各种器官的活动也是奇妙的,却没有一个人注意到它们,甚至靠这些器官起作用才能生存的人也没有意识到它们惊人的复杂性。自然之神在起作用时从不显露自己。其实,她在履行耶稣基督的博爱箴言:“不要让你的右手知道你的左手正在帮它”。当各种因素在起作用时,如果它们能做到平衡与协调,就可以达到“健康”或“正常状态。”

我们已经注意到一种疾病的所有细节,却没有想过健康里面也可以发现奇迹。很早以前,人们就已经认识并治疗疾病,残存的骨骼提供的证据表明,史前人类就已经知道如何施行外科手术了。尽管埃及人和希腊人早已知道如何施行外科手术,尽管埃及人和希腊人已经知道如何行医,但直到近代,人们才对人体内部器官的功能有所了解。直到17世纪,人们才发现血液循环的秘密。1600年,人们才开始对人体进行医学解剖。正是这些对病理学和疾病的兴趣,逐渐地、间接地导致了对生理学的发现和认识,而生理学恰恰是对正常功能的阐释。

儿童的心理疾病已受到重视,然而对他们正常心理的认识还处于朦胧状态。这种情况并不令人感到惊讶,尤其是当我们考虑到心理功能是极其微妙的、并且它本身也在秘密完善的时候,就更可以理解了。

如果不给儿童提供帮助,如果忽视他所处的外界环境,那他的心理世界将处于持续的危险中。儿童就像世间的弃儿一样,面临着那种危险。他必须为自己的心理发展而斗争,并且有可能在斗争中失败。由于成年人还不知道哪些因素正在起作用,因此也就无法给儿童提供帮助。他们很少注意到那些正在发生的奇迹——表面上看不出,但确实在进行的心灵创造。

我们不能再无视儿童的心理发展了。我们必须从一开始就去帮助儿童。这种帮助并不在于塑造儿童,因为这一任务属于自然之神,而是在于观察儿童心理发展的外在表现,在于能为儿童的成长提供必要的手段,因为这种手段单靠儿童自己的努力是办不到的。

如果确实如此,如果儿童健康的秘密取决于某些隐秘的能量,我们就可以设想,那些无法适应外界环境的儿童,是他们心理上的紊乱和疾病造成的。当我们还不知道婴儿保健的基本原理时,他们的残废率高得惊人,但这只是问题的一个方面。在存活下来的人当中,有许多人深受眼睛失明、佝偻病、跛脚和瘫痪之苦,还有许多人肢体残缺、器官衰退,这使他们易受结核病、麻风病、淋巴结核等疾病的传染。

同样地,我们并没有确保儿童心理健康的计划。在我们的周围,没有任何东西可以保障和维护儿童的心理健康。我们甚至还忽视了那种能够使精神协调发展的秘密因素。精神的失调导致了大量身心扭曲的情况——失明、虚弱、发育迟缓、死亡,更不必说骄傲、权力欲、贪婪和易怒。所有这些不只是修辞或打比方,而是让我们从儿童身体的疾病去联想他们心灵会遭受到的创伤。最初的毫厘之差能够导致将来生活的缪之千里。尽管一个人在不适合他心灵成长的地方也可以长大成人,但是他本应该生活在一个与他心灵相和谐的乐园之中。

观察与实例

心理学家一直试图弄清儿童在运动中的反应,这种反应可能显示儿童在受到感官刺激后的心理变化。他们在对此进行试验时，却无法证明婴儿存在心理活动。然而，即使是最初级的心理活动，也必然先于任何身体的运动。

感觉提供的是第一个刺激。就像列文用电影展示给我们的那样，一个婴儿如果想得到一样物品，他就会探出整个身体去拿它。只是随着动作的逐步发展和协调，他才能分解各种运动，为得到所需要的物体，他只要伸出手就可以了。

在一个4个月大的婴儿身上可以看到另一个这样的例子。他的眼睛一直盯着一个正在讲话的成人的嘴唇。这个婴儿嚅动的嘴唇和头的固定姿态，表明他已经被那个成人的声音所吸引。到6个月大时，这个女孩已经能掌握一些独立的音节了。但是在她能发出这些语音之前，她一直在注意地听，激发着她的发音器官，这表明她已经有一条激发动作的心理原则了。这种敏感性的存在，也许只能从观察中得知，而不能从实验中获得。早期阶段的心理实验，由于耗竭婴儿过多的精力，只会对婴儿心理世界的神秘工作带来损害。

对儿童心理世界的观察，必须使用法布尔观察昆虫的方法来进行。当昆虫在它们的自然环境中忙碌地工作时，他便把自己藏起来，不去打扰它们。同样地，我们也应该在儿童的感官开始对外界环境累积印象时，对他进行观察，因为只有在那时，一个生命才开始依靠环境自然地发展起来。

愿意帮助儿童的人不必求助于复杂的观察或幻想的解释，只是他必须要有帮助儿童的愿望和一些有关儿童的常识。

从一些明显的例子中，我们可以发现这种观察是多么的简单。由于婴儿还不能站立，许多人认为他将总喜欢躺着。婴儿应当从他环境中，即从上到下的某个空间中，得到他的第一个感觉印象，但是他不可能盯着上面看。他凝视着房间的天花板，天花板就像他的床单一样洁白而单调。他应该有机会看到那些能满足他的心灵需要的东西。父母常常想用某种东西把儿童从单调的环境中吸引开来。结果，他们把环等其他物品拴在绳子上，让它们在婴儿的头上晃动。儿童一直在注意观察外界环境，但由于他无法转动头部，就只好用眼睛盯着摇摆不定的物品。由于儿童处于一种不自然的姿势，物体也在没有规律的晃动，因此，儿童所做的运动也是不自然和有损害的。

比较好的办法是，把儿童放在稍微倾斜的平面上，这样他就能看到周围的一切。更好的办法是，把儿童放在花园里。在那儿，他会看到鸟、花以及微微摇动的小草。

儿童应该在不同的场合都被放在一个地方的同一个位置上，这样他就可以重复看到同样的东西，并学会如何识别这样东西及它相应的位置，学会如何区别有生命和无生命的东西。

PART 8

儿童的秩序感

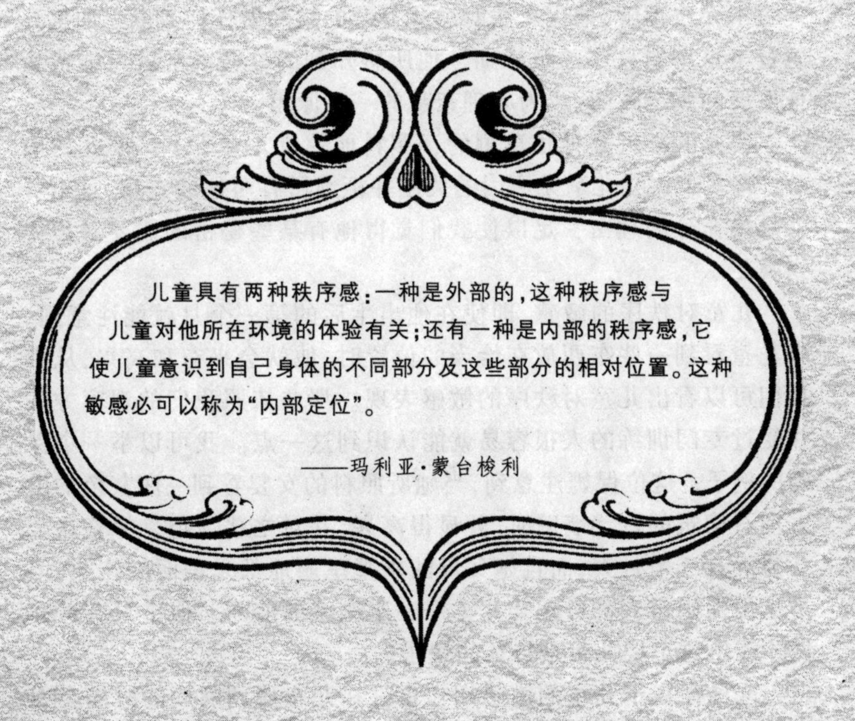

儿童具有两种秩序感:一种是外部的,这种秩序感与儿童对他所在环境的体验有关;还有一种是内部的秩序感,它使儿童意识到自己身体的不同部分及这些部分的相对位置。这种敏感必可以称为“内部定位”。

——玛利亚·蒙台梭利

儿童有一个对秩序极其敏感的时期，这是一个非常重要和神秘的时期。这种敏感从儿童出生后第一年就出现，并一直持续到第二年。儿童对外界秩序有一段敏感期，这对我们来讲似乎有点奇怪，因为我们通常认为儿童的一个特点就是没有秩序感。

当儿童生活在城市里时，他周围是一个充斥着各种东西的封闭环境。成人出于各种原因，会时常搬动和布置这些东西，儿童对此根本无法理解，他也无法对这些复杂的举动做任何判断。如果儿童过了这一对秩序的敏感期，他所感知到的这些混乱就可能成为他发展的一个障碍，成为心理紊乱的一个原因。

婴儿的心灵是神秘莫测的，照料他的成人并不了解婴儿的内心。有多少次婴儿毫无原因的哭泣并拒绝所有对他的安抚，这本身就是最充分的理由，足以使我们觉得他有某些秘密的需要必须得到满足。

儿童对秩序的敏感，即使在他出生后的第一个月就能注意到。当儿童看到一些东西放在恰当的位置时，他就会兴奋和高兴，从中我们可以看出儿童对秩序的敏感表现。那些依照我们的观察方法并受过专门训练的人很容易就能认识到这一点。我可以举一个保姆的例子。这位保姆注意到，当她所照料的女婴看到一座灰色的由大理石构筑的古代墙壁时，就显得高兴，并对之感兴趣。尽管这个女婴只有 5 个月大，而且她父母的别墅里遍地都是美丽的花朵，但是这位保姆每天都得把婴儿车停在这座墙的前面，似乎只有这样做才能给这个婴儿带来持久的快乐。

这种存在于儿童的敏感期，也许在儿童遇到麻烦的时候会表现得更加清楚。在大多数情况下，儿童发脾气可能都是由于这种敏感性。我可以举出一些这样的例子。有一个例子是这样的，其主人公是一个出生大约 6 个月的小女孩。一天，她呆在一个房间里，碰巧一位妇女走了进去,并把阳伞放在了桌子上,于是,这个孩子变得不安起来。他之所以如此,并不是因为那位妇女,而且由于那把伞的缘故。小女孩对着那把伞看了好一会儿,然后开始哭起来。那位妇女以为她要那把伞,就拿起它,微笑着送到她面前。但小女孩把伞推到了一边并继续哭喊。那位妇女安抚她,但毫无用处,她只是变得更加焦躁不安。怎样才能使她不再哭闹呢?正当小孩不安之时,她那富有心理洞察力的母亲把伞从桌子上拿走,并把伞放到了另一间屋子里,小女孩立即安静了下来。使她不安的原因是那位妇女把伞放在了桌子上。一件东西放错了地方,就严重打乱了这个小孩物放有序的记忆方式。

另一个例子与一个年龄稍大一点的孩子有关。一次我和一群旅行者一起穿过那不勒斯的新洞隧道。其中有一位年轻妇女带着一个1岁半的孩子。这个孩子太小了,以致他不能步行走完这段较长的路程。

隔了一段时间,这个小孩累了,他母亲把他抱了起来,但又觉得有些吃力。劳累使她热起来,她停下来,脱掉外衣,并把衣服搭在手臂上。在减轻负担后,她再次把小孩抱起来。但这个孩子开始哭了,而且哭声越来越大。他的母亲设法使他安静下来,但根本不起作用。她为此已经累得筋疲力尽,并且变得不安起来。一些游客也为他们母子二人担心起来,很自然的给了她一些帮助。他们不时地换人抱这个孩子,但这个小孩变得更加不安了,所有的人都称赞他,鼓励他,但这却使情况变得更糟。这个小孩的母亲就只好把他带回去了。但就在这个时候,他已经开始歇斯底里,似乎到了绝望的境地。

我们认为,有一个规律介人并牢牢控制了这个小孩,正因如此,这个小孩才会做出如此剧烈的反应。由于我相信这种反应在儿童内心的敏感性方面具有心理学的基础,所以我决定去尝试一下。我走到小孩母亲的面前,对她说:“我帮你穿上外套好吗?”她惊讶地看着我,因为她仍然很热。她被弄糊涂了,但仍然接受了我的建议,让我帮她穿好外套。这个小孩子立刻平静了下来。当他的眼泪和不安消失时,他不停地说:“衣服……肩膀”,这表示“你的衣服在你的身上了”。是的,这位母亲应该把衣服穿在身上。这似乎意味着，“你终于理解我了。”小男孩笑着向母亲伸出了双臂。我们穿过了隧道，完成了旅行，这期间，再没遇到其他的麻烦。衣服是用来穿在身上的，而不应该像一块破布搭在手臂上，他在母亲身上看到的秩序错乱是引起这场麻烦的原因。

还有一个我曾经目睹过的家庭场面也十分有意义。一位妇女感到不舒服，就躺在椅子上，背下垫了2只枕头。她年仅20个月的女儿走到她面前，要求她讲一个故事。母亲怎么能忍心拒绝这种要求呢？虽然她感到不舒服，仍开始讲一个小故事，小女孩全神贯注地听着，但母亲疼得无法再继续讲下去了。她让仆人扶她到另一个房间的床上去睡觉。此时那个留在椅子旁边的小女孩开始哭泣起来。这似乎很明显，她是为她母亲的病痛而哭。她身边的人尽力去安抚她。当女仆把枕头从椅子上拿来送到卧室里时，这个小女孩居然大喊大叫起来：“不，不是垫子……”似乎她想说：“至少留一些东西在这里。”

家人用甜言蜜语哄着她，并把她带到了母亲的床边。母亲尽管很痛苦，但仍硬撑着继续讲故事，以为这样就可以满足她的好奇心了。但这个小女孩仍然抽泣着，泪流满面地说：“妈妈，椅子！”她试图用这种方法告诉她母亲应该坐在那把椅子上。

小女孩已经不再对故事感兴趣了，母亲和枕头都改变了他们应该在的位置。那个故事在开头时是在一个房间，到结尾时却跑到了另一个房间。这一切都在小女孩的心里产生了强烈的冲突。

这些例子表明，儿童对于秩序的本能是如此强烈。令人惊讶的是，这种本能会在儿童还很小的时候就表现出来。一个2岁的儿童在表现这种对秩序的敏感时，是用一种不声不响的方式来表现的，在这一阶段，这种敏感成了他们行动的指南。

儿童的这些所作所为成了我们学校里最有趣的现象之一。当一件物品放错了位置时，儿童会最先发现，并把它放回原处。正是这个年龄的儿童注意到了这些最小细节上的不协调，而成人和更大一点的儿童却不会注意到这一点。例如，如果一块肥皂躺在洗漱台上而没有放在肥皂盒里，如果一只椅子放在不恰当的地方，一个2岁的儿童会突然注意到它，并把它放回原处。

儿童看到某些东西物放无序时，他仿佛受到了某种刺激，收到了行动的指令。但毫无疑问,这种敏感性包含更多的意义。秩序感是生命的一种需要,当它得到满足时,就产生了真正的快乐。事实上,在我们学校里,甚至年龄稍大些的、约3~4岁的儿童在做完练习后,也会把那些东西放回到过去习惯放置的地方。这是他们最乐于做的事情之一。秩序感使他们能认识到每样物品在环境中所处的位置,能记住每件东西应该放在哪里。这意味着,一个人能够适应自己的环境,能够在所有的细节方面支配它。心灵是这样与环境相协调的:一个人能闭着眼睛到处走动,只要伸伸手就能拿到他想要的任何东西。这样的环境是一个人感到平静和快乐所不可或缺的。

很明显,儿童对秩序的热爱与成人不同。秩序给成人某种外在的快乐,但对儿童来讲就完全不同了,儿童对秩序的需要犹如动物需要陆地,鱼儿离不开水一样。儿童出生后的第一年里,就要从他们将来要支配的环境中得出适应的原则。由于儿童是由他们所在的环境塑造的,他需要精确和确定不移的原则来引导,而不仅仅是一些模糊的、建设性的模式。

秩序会产生一种自然的快乐,这也许可以从年龄很小的孩子们做的游戏中看出来。这些游戏由于缺乏逻辑而使我们吃惊,但游戏所能提供的唯一乐趣是使他们在安放物品的地方找到它们。

在作进一步阐述之前,我应该提一下日内瓦的皮亚杰教授对自己孩子所做的一项试验。他在一把椅垫下藏了一个东西,然后他把孩子打发出这间屋子。他又把这个东西拿出来,藏在第一个椅子对面的椅垫下。教授希望他的孩子会在第一把椅垫下寻找东西,当他找不到时,就会到另一个椅垫下寻找。但是,当这孩子回到房间后,他所做的就是掀起第一把椅子的垫子去寻找,然后用他自己不完整的表达方式说:“没了。”他并没有努力到其他地方去寻找那件东西。然后,教授重复了这项实验,让孩子亲眼看到他从一只垫子底下拿出那件东西,并把它放在另一只垫子底下。但这孩子还是像以前那样找了一遍,又说:“没了。”皮亚杰教授据此得出的结论是,他的儿子有点傻。他几乎不耐烦地掀起第二把椅子的垫子说:“你没有看到我把东西放在这儿吗?”这个小孩回答说:“我看到了。”然后指着第一把椅子说:“但它,应该在那里。”

儿童感兴趣的并不是找到东西,而是在它该在的地方找到它。显然,他认为不理解这种游戏的是教授。如果不把东西放在它应该在的地方,那这种游戏还有什么意思呢?

我曾亲眼看二、三岁的孩子所玩的一种捉迷藏的游戏,对此我确实惊讶不已。看起来他们很高兴、激动,对于他们所玩的游戏充满了渴望。但他们是怎样玩的呢?一个孩子爬到一张桌子下面,桌子上盖着垂到地面的桌布。小伙伴们看着他爬进去之后就走出房间,然后再回来掀起桌布。当他们发现桌子底下的同伴时,就会高兴得大声叫嚷。这个游戏一遍又一遍地重复着。他们依次说:"现在,我来藏。"然后爬到那张桌子底下。另一次,我看到几个年龄稍大些的儿童和一个幼儿玩捉迷藏的游戏。那个幼儿藏在一件家具后面,几个大一点的儿童进来,装着没有看到他。除开这件家具背后,他们找遍了房间里所有的地方,并认为这样就会使那个幼儿快乐起来。但是,那个幼儿突然叫了出来:"我在这儿",这种语调显然意味着:"你们难道没有看到我在这里吗?"

有一天,我站在一边看他们做游戏,我看到一群幼儿高兴地嚷着,拍着手,因为他们找到了门后的同伴。他们走到我跟前说:"你为什么不跟我们一起玩?你为什么不藏起来?"

如果游戏的目的是快乐(事实上,儿童很高兴重复这种荒唐的练习),那就必须承认,在儿童生命中某一个时期的快乐就在于在适当的地方找到东西。根据他们的解释,"躲藏"就是在一个隐藏的地方放置或找到某个东西。正如他们自己所说的:"你们不能看到它,但是我知道它在哪儿,闭着眼睛也能找到它"。

这一切表明,大自然已经赋予儿童对秩序的敏感性。这是一种内在的感觉,它能区分物体之间的关系而不仅仅是物体本身。这种敏感性使外界环境成为一个整体。这个环境的各个部分相互依赖。如果一个人能适应这种环境,他就可以指引自己的行动去达到特定的目的。如果一个人的脑子中只有不同的图像,这些图像却又杂乱无章,那么这能带来任何益处吗?这种情况像是在一间屋子里面摆家具。一个人如果不懂得家具之间的秩序关系,那他的生活也一定是一团糟,让他无法得到解脱。正是在童年时期,人们学会了如何在将来生活中指挥和引导自己。在敏感期里,大自然所赋予他的第一个本能是与秩序有关的，这就如同大自然给予人类一个指南针，让他们去适应世界；就如同一位教师给了学生一张教室平面图,从而教给他们第一个与地理有关的概念。自然也给予了儿童像成人一样说活的能力。人的智力不是凭空而来的,而是建立在儿童敏感期打下的基础之上的。

内在秩序

儿童具有两种秩序感:一种是外部的,这种秩序感与儿童对他所在环境的体验有关;还有一种是内部的秩序感,它使儿童意识到自己身体的不同部分及这些部分的相对位置。这种敏感可以称为“内部定位”。

实验心理学家一直在研究“内部定位”。他们认为,在肌肉中存在一种感觉，能使每个人意识到自己身体的不同部分所在的不同位置。这要求有一种特殊的记忆,即“肌肉记忆”。

这种解释完全是机械的，它建立在有意识地进行活动并积累了经验的基础之上。例如,这种解释主张,如果一个人移动了手掌去拿东西,那么这个动作就会被感知并保存在记忆里,因而可以再次重复这个动作。一个人之所以可以选择移动他的右臂或左臂,朝着这个方向或那个方向转动，是因为他已经有了理性的和由意志所控制的经验。

不过，儿童的行为表明，远在能自由运动和具有那些经验之前,他就已经具有了对身体各种姿势的高度敏感。换句话说,大自然已经给儿童提供了一种特殊的敏感性，这一特性能使他感受到身体的各种姿势和位置。

那些旧理论是建立在神经系统的机制基础上的。然而,与之相反，敏感期是与心理活动有关的。这些敏感性是一种洞察力和本能,它们为意识的形成打下了基础。这些敏感性是一种自然形成的能量,将会形成心理发展的基本原则。因此,是大自然为人类的发展提供了可能性和有意识的经验。如果儿童所处的环境阻碍了这种敏感性的正常发展，我们将看到能证明这一敏感性存在的反面例子。这个儿童就会出现诸如极度的焦躁不安、发脾气的疾病征兆。只要环境中依然存在这种有害的情况，这些病症将无法被治愈。

不过，只要有害的情况不再继续，发脾气的疾病也会随之消失。这明显说明了产生病症的原因。

有个有趣的例子也可以说明这一问题。一位英国的保姆请假离开一段时间,她找了个能干的保姆顶替她干几天。但是这个替代的保姆在给小孩洗澡的时候遇到了很大的困难。不论在什么时候,小孩一洗澡就会变得绝望和不安。他不仅仅是哭泣,还在保姆怀里挣扎，试图推开她逃跑。这位保姆为孩子做了她能想到的一切事情,但小孩子还是厌恶她。当原来的保姆回来后,这个孩子恢复了平静并且明显地喜欢洗澡了。

这位英国保姆曾在我们的一所学校里受到训练，并对儿童产生厌恶的心理因素感兴趣。她开始耐心地观察婴儿的这种表现。她发现了两件事,这个小孩把第二个保姆当成了坏人,但为什么呢?因为她是用相反的动作给小孩洗澡的。于是,两位保姆比较了她们给小孩洗澡的姿势,并发现了这个差异:第一个保姆是右手靠近他的头,左手靠近他的脚;第二个保姆恰好与她相反。

我还想起了一个例子,情况更加严重,因为它具有所有无法诊断疾病的症状。我碰巧卷进了这件事,尽管我没有以医生的身份介入,但仍能给予帮助。这件事所涉及到的这个小孩还不到1岁半。他的父母刚刚结束一次长途旅行。依据他们的观点,这个小孩只是因为年龄小,而无法承受旅途的劳累。他们还强调,旅行中并没发生什么特别的事情。每个晚上他们都睡在一流的旅馆里,那里有专为婴儿准备的带栏杆的小床和特殊的食物。这家人现在住在宽敞的公寓房间里，由于没有婴儿床，小孩和母亲一起睡在一张大床上。小孩最初的病症是失眠和反胃。一到晚上必须把他抱在怀里。他的哭声是由于胃痛的原因。父母请来了儿科医生检查小孩的病情,医生给孩子提供了特殊的饮食、日光浴、散步及其他治疗方法,但这些治疗毫无成效。夜晚成了全家人的痛苦。这个小孩最后痉挛起来,可怜地抽搐着,在床上不停地打滚。这种情况一天要发生两、三次。于是,他父母请了一位著名的儿童神经病专家。我也参与了。据他父母讲,这个小孩看上去很好,在漫长的旅途中一直很健康。他目前的失调可能是由于某种精神的错乱引起的。

当我看到这个小孩躺在床上,遭受着病痛的折磨时,得到了一个启发。我拿了2个枕头,把它们平行摆好,形成了垂直的护栏,就像旅馆里带栏杆的小床。然后,我把床单和毯子盖上去,没说任何话,把这张临时搭成的小床紧靠着小孩的床边。这个小家伙看着它,停止了哭嚎,滚着滚着,滚到了小床的里面,并说:"凯玛、凯玛"——他用这个词来表示摇篮,并且很快睡着了。他的病再也没有复发过。

很明显,睡在大床上的小孩失去了床栏杆所感受到的支撑感。没有了这种感觉,小孩感觉到一种内在的失调和痛苦。这种情况看起来好像无法治愈。他的反应说明了敏感期的力量,在这段时间里,大自然正在发挥着创造作用。

儿童并没有与我们相同的秩序感。经验使我们变得麻木,但儿童是单纯的,正处于感知外界印象的过程中。他从一无所知开始,不断地体验成长的艰辛。而我们就像一个靠艰苦劳动富裕起来的人的儿子,我们不理解他所承受的劳苦和艰辛。我们由于已取得的社会地位而变得冷淡和麻木。现在我们之所以能运用理性、意志、肌肉,是因为我们也曾经年少,曾经经历过成长的艰辛。我们之所以能适应这个世界也是由于这个原因。我们之所以富有,是因为我们都是从儿童成长起来的,从小到大,从无到有。儿童时期为我们长大后的生活打下了基础。儿童从一无所知到懂得生活的道理,必须付出巨大的努力,儿童的所作所为如此接近生活的真谛,即为行动而行动。这是一种创造的方式,对于这种方式,我们既不了解也回忆不起来了。

PART 9

儿童智力的发展

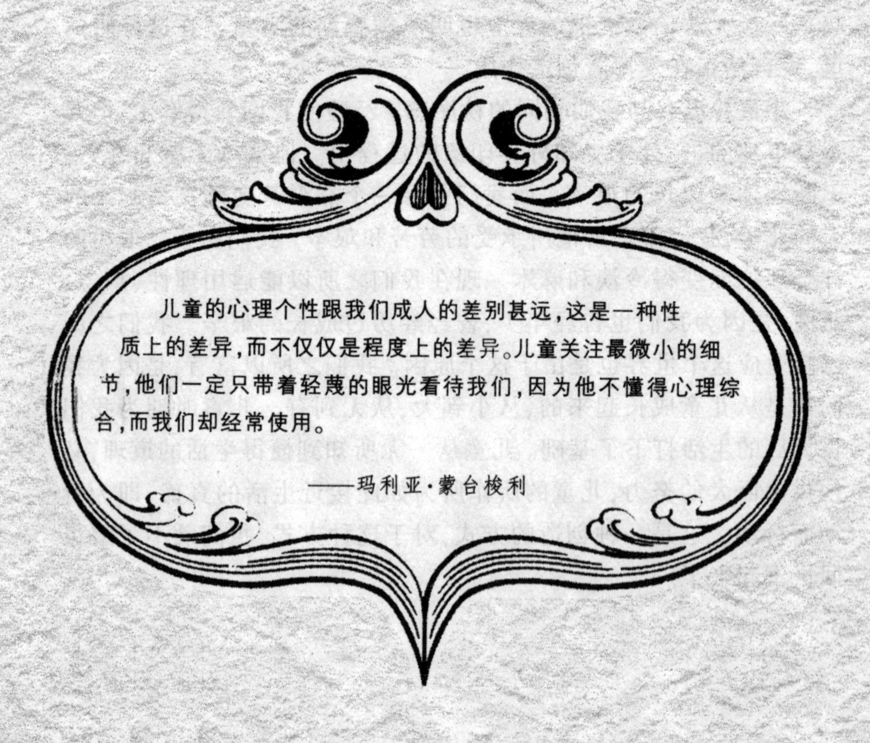

儿童的心理个性跟我们成人的差别甚远，这是一种性质上的差异，而不仅仅是程度上的差异。儿童关注最微小的细节，他们一定只带着轻蔑的眼光看待我们，因为他不懂得心理综合，而我们却经常使用。

——玛利亚·蒙台梭利

儿童的行为向我们表明，智力并不像机械心理学家所主张的那样，是缓慢地从外部发展起来的。这些心理学家仍然对教育的理论和实践有着很大的影响。根据他们的理论，我们从外部事物获得的印象，仿佛是敲开我们感官的大门硬闯进来的，然后，这些印象会在我们的心里定居下来，彼此间逐渐磨合而变得有序起来，从而形成了智力。

曾经有人认为："智力中没有一样东西最初不是源于感觉的。"这句话可以用来说明他们所认识的智力发展过程。它假设，儿童在心理上是被动的，任凭环境的摆布。由此可以推论，他是完全受成人控制的。还有一个类似的看法认为，儿童不仅在心理上被动，而且就像一只空瓶一样等待被填塞东西。

我们的经验肯定不会使我们忽视环境对儿童智力发展的重要影响。众所周知，我们的教育体系十分尊重儿童的环境，并使之成为教学的中心环节。比起其他的教育体系，我们也更合理地尊重儿童的感知。我们的观点和那种认为儿童仅仅是一个被动者的观点之间存在着尖锐的差异。

我们强调儿童内在的敏感性。儿童有一个能一直持续到5岁的敏感期，这个时期能使他以真正惊人的方式从环境中感知印象。儿童是一个积极的观察者，他能通过感官努力去感知外部世界，但是这并不意味着他会像镜子那样去接收外界事物。一个真正的观察者是根据一种内在冲动，以某一种感觉或特殊的兴趣来挑选他的感官对象的。詹姆士在阐述这一观点时说，没有一个人看到过一个物体的全貌，每个人只看到了物体的一部分。也就是说，他是根据自己的情绪和兴趣来看它的。因此，不同的人会用不同的方式描述同一个物体。詹姆士自己的例子也很好地说明了这种现象。他说："如果你对一种新衣服很感兴趣，就会去注意别人有没有穿这种衣服。这样的话,你就有可能在车轮底下丧命”。

我们可能会问,小孩子的特殊兴趣到底是什么,以使他在无数的外界事物中有所偏好和选择。很显然,并不存在什么外部的动力,去形成詹姆士所提到的特殊兴趣。儿童最初是一无所知的,并且会独自向前发展。这种特殊兴趣的形成缘于儿童在敏感期中的理性,这种理性会自然地并具有创造性地发展,它就像生物一样逐渐地成长,靠从外界不断获取印象来增加能力。

这种理性提供了最初的动力和能量,各种印象被整理、排列起来为理性服务。儿童所选择的印象也会去帮助理性。我们也许可以说,儿童对吸纳外界的印象是如饥似渴,甚至是贪得无厌的。正如我们所知道的,儿童会被光、色彩和声音强烈地吸引,并因此感到愉快。但我们要强调指出的是,这种自发运动的理性,尽管是刚刚开始,但它却是一种内在的现象。很明显,儿童的心理状态值得我们去尊重并给予帮助。儿童从一无所知开始发展他的理性——人类特有的品质,甚至在他能用他的手脚走路之前,他就已经沿着理性的道路前进了。

用一个例子也许能更清楚地说明这个问题。我回忆起了一个特别有趣的例子:一个出生仅4个星期的婴儿,从未出过他出生的那座房子。一天,当保姆抱着那个婴儿时,婴儿看到他父亲和也住在这座房子里的叔叔同时出现在一间屋子里,两个人的个子和年龄都很相近。这个婴儿大吃一惊,害怕看到这两个人在同一间屋子里出现。他父亲和叔叔了解我们的工作,要我们着手消除婴儿的恐惧。我们要求他们在婴儿的视线范围内处于分开状态,一个在左边,一个在右边。果不其然,这个婴儿转过头来看着一个人,盯了一会儿就笑了起来。

但是后来,他突然变得忧郁起来。他迅速地转过头看着另一个人。只隔了一会儿,也对那个人笑了。他重复地把头左右转动了好多次,脸上交替地出现安慰和忧虑情绪,直到他终于认识到原理实际上有两个人为止。原来这个婴儿只是分别见过这两个男人。他们在不同的场合与他一起玩过,把他抱在怀里,充满深情地与他说话。这个婴儿终于认识到,在屋子里有一个不同于他的母亲、保姆及家里其他女人的人。但这个婴儿却从来没看见两个男人在一起,显然，他认为只有一个男人。当他突然遇到两个男人在一起时，他就变得警觉了起来。

婴儿在他周围的混乱环境中，认出过一个男人，然而当他遇到另一个男人时，他发现自己一开始弄错了。当他在具体化的过程努力时，尽管他只有4个星期大，但已经感觉到了人类理性的不可靠。

如果这两个男人没有意识到儿童一出生就存在着心理生活，他们就不会在儿童获得更多意识的时候帮助他。

从更大一点的儿童中也可以举出例证。一个6个月大的儿童坐在地板上玩一个枕头。枕头上饰有花朵和儿童的图案，那个小孩正起劲儿地闻着上面的花儿，并且亲吻上面的儿童。照管他的保姆没有受过专门的指导，她认为如果让小孩闻或亲吻其他的东西也会高兴。于是，她急忙又拿来各种东西对小孩说："闻这个，吻那个！"但结果是，小孩子的心灵被搞乱了。因为他正通过认识图案并用记忆来组织自己的思想，以幸福、平静地进行内部建构的工作。但他为获得内部和谐所进行的神秘努力，被成人打断了，而空上成人还不明白事情到底是怎么回事。

当成年人突然打断儿童的思绪或企图让他分心时，他就会阻碍儿童这种内部的艰难工作。他们拉起儿童的小手，亲他或试图让他睡觉，而不考虑他特有的心理发展。由于这种无知，成人可能会压抑儿童的基本需求。

另一方面，让儿童保留他所获得的清晰印象是绝对必要的，因为他只有获得清晰的印象，并对它们进行区分，才能发展自己的智力。

一位儿童营养专家做过一项有趣的实验。他开了一个诊所，通过实验，他得出结论：儿童的饮食必须考虑个人的因素。同一种食品可能对这个婴儿有益，但对另一个婴儿有害。同时他发现，至少儿童在一定年龄之前，没有什么能比母乳更适合所有儿童的了。他的诊所无论从形式还是审美方面都是一个典范。他的主张对6个月以下的儿童产生了非常好的效果，但对6个月以上的儿童却是失败的。这的确是个谜，因为对这么大的儿童进行人工喂饭要比给6个月以下的儿童喂饭容易得多。

有一些贫困的母亲无法给自己的孩子喂奶，就去询问这位教授如何喂养孩子。教授专为她们开了门诊部。但是这些贫困家庭的孩子，并没有像那些住在诊所里的儿童那样，在6个月以后表现出失调的症状。经过反复的观察之后，教授终于认识到，在这种现象的背后必定存在着心理因素的影响。他认识到，他诊所里的那些6个月以上大的儿童得了一种病，即“由于缺乏心灵营养而引起的倦怠”。当他给那些儿童提供娱乐和消遣，不再让他们独自在诊所的平台上散步，并把他们带到让他们觉得新奇的地方去时，孩子们都恢复了健康。

大量的实验表明，不到1岁的儿童能够对他周围的事物形成清晰的印象，并且能从图片中认出它们。但需要进一步注意的是，儿童一旦获得了这些印象，就会很快对它们失去兴趣。

从第二年开始，儿童不再对漂亮的物体和鲜艳的色彩喜不自禁了，而这种狂喜恰恰是敏感期的特征。他们开始对我们不留心的小物体感兴趣。我们甚至可以说，他们对那些不起眼儿的东西，对我们不容易感觉到的东西感兴趣了。

在一个15个月大的小女孩身上，我第一次发现了这种敏感性。我听见她在花园里哈哈大笑，这对一个小孩来说是很不寻常的。她坐在平台的砖块上，带着一副心驰神往的神态。附近有一个美丽的花坛种满天蓝的葵花，在骄阳下显得十分艳丽。但这个小孩并没有看花儿，她把眼睛盯在地上，那里显然没什么可看的。我被她那种奇妙的、不可捉摸的样子打动了。我慢慢地走近她，仔细观察那块砖，但没看到任何特别的东西。正在我百思不得其解时，小孩用郑重其事的口气对我说：“那里有个小东西在动”。在她的指点下，我看到了一个微小得几乎看不见的昆虫，颜色与砖块一样，正在上面迅速地跑着。引起孩子兴趣的就是这样一个会跑动的小东西。这个小孩子由于惊喜而发出的叫嚷声，远比平时大得多。这份欣喜并不是来自太阳或花朵，也不是来自她周围艳丽的色彩。

有一次，一个与那个小女孩年龄相仿的小男孩，也以一种类似的方式给我留下了深刻的印象。他妈妈收集了许多色彩艳丽的明信片给他玩，这个小孩看起来很喜欢这些卡片，并拿来给我看。他用稚嫩的声音对我说：“叭——叭”，意思就是“汽车”。我意识到他想给我看汽车的图片。

这个小孩拥有许多各种各样美丽的图片。显然,他母亲收集这些东西是为了让他高兴,同时也可以教给孩子一些知识。

这些明信片上有蜜蜂、狮子、长颈鹿和猴子等各种动物的图案。有些明信片上有各种鸟儿和会让儿童感兴趣的家畜——绵羊、猫、驴子、马和母牛的图案。还有些卡片上印有各种风景和景物。上面有房子、动物和人。然而,令人奇怪的是,在所有收藏的明信片中并没有汽车的图片。我对孩子说:“我没有看到汽车”。他看了看我,然后挑了一张明信片并得意洋洋地说:“在这儿哪!”在卡片的中间,是一只美丽的猎犬,远处有一个肩上扛着枪的猎人,在一个角落里可以看到一座小屋和一条弯弯曲曲的小路,在这条线上还可以看到一个黑点儿。小孩用他的手指着墨点儿说:“叭——叭”,尽管那个墨点儿小得几乎看不见,但我可以看出那确实是一辆汽车。这辆车画得如此之小,以至于很难被发现。然而,正因为它小,才引起了小孩的兴趣,并指给我看。

我想,也许他的注意力并没有被吸引到名片上那些漂亮和有趣的东西上。我挑出一张画有长颈鹿的明信片对他解释道:“看这长长的脖颈。”小孩却认真地回答:“长颈鹿。”我没有勇气再继续讲下去了。

可以这样说,在儿童1岁多的时候,大自然会引导儿童的智力,使他们更进一步,直到获得所有的知识。

下面还有一些其他的例子。有一次,我给一个20个月大的小男孩看一本成人看的书。这本书很美丽,是由古斯塔夫·多雷画插图的《新约全书》。书中复印了一幅画,是拉斐尔所画的《主显圣容》。我让他看了一幅耶稣召唤小孩到他身边去的画,并解释说:“这个小孩在耶稣的怀里,你看其他的小孩把头靠着耶稣,所有的小孩都仰视他、爱戴他。”

这个小孩的脸上没有丝毫感兴趣的样子。这时,他开始扭动起来,好像我没有照看他。我开始翻书查找另一个图片。突然,小孩说:“他在睡觉。”

我对这个小孩说的话迷惑不解。我问他:“谁在睡觉?”

小孩认真地回答说:“耶稣,是耶稣在睡觉。”他示意我把书翻回到那一页,自己去看个清楚。

我再看这幅画,看到耶稣正在俯视着儿童。他的眼睑下垂,就像一个人在睡觉。可见这个小孩被吸引到成人根本不去注意的细节上了。

我继续讲解图片,并停留在一幅画有耶稣主显圣容的图画上。我说:“看,耶稣升天了,人们惊恐万状。你看这个小男孩怎样转动着眼睛,这个妇女怎样伸出手臂。”我意识到我没能选择合适的图画,我的讲解也无法吸引他的注意力。但我感兴趣的是去发现小孩和成人对这样一幅复杂画面的不同反应。这个小孩只是轻轻地咕哝了一串,似乎在说:“嗯,继续往下翻。”他的小脸儿没有表现出丝毫的兴趣。我又开始往下翻书,这时看到他抓起了挂在脖子上的一个形状像兔子的饰物,然后他叫了声:“小兔子”!我以为他被那个小饰物吸引住了,但他又示意我往回翻书。我照着他的话做了,发现在《主显圣容》这幅画的一侧,确实有一只小兔子。有谁曾注意过这只小兔子呢?很明显,儿童与成人具有截然不同的视角,这不仅仅是程度的问题和大小的差距。

成年人总是想给三、四岁的儿童看些普通的东西,好像他们以前什么也没看过似的。但这样做一定很费力,就像一个人大喊大叫,想让聋子听到他说话一样。当这个人费尽了力,想让他听到说话后,他会听到一句抗议:“但我一点也不聋。”

成年人总以为儿童只对华丽的东西、鲜艳的色彩和震耳的声音敏感,于是就用这些东西来吸引儿童的注意力。我们都注意到儿童是怎样被歌曲、钟声、风中的彩旗、明亮的灯光所吸引的。但这些强烈的吸引力是外在的和转瞬即逝的。它只会使儿童分散注意力,没有什么益处。

我们也许可以把这种现象与我们自己的行为方式做个比较。如果我们正忙着看一本有趣的书,突然听到响亮的乐队在沿街演奏,我们就会站起来走到窗前看看发生了什么事情。当我们看到某个人这样做时,我们其实很难推断这个人就特别容易被响亮的声音所吸引。然而,我们却对儿童下了这样的结论。事实是,一种强烈、外在的刺激可以引起儿童的注意,但这仅仅是一种并不重要的现象,它与儿童的内心世界并没有必然的联系。

而儿童的内心才能真正决定他的发展。儿童全神贯注地凝视着那些我们毫不在意的东西，我们由此可知儿童拥有独特的内心世界。但是，一个人如果被一个小东西吸引并全神贯注地盯着它，并不是因为这个小东西给他留下了深刻的印象，而仅仅是因为那个人流露出的一种富有感情的理解。

对于成人来讲，儿童的心理像是一个深奥难解的谜。人们之所以感到困惑，是因为他们根据儿童的外在表现来做判断，而不是根据儿童内心的精神力量。我们应该努力去认识在儿童行为的背后，隐藏着一个可以弄清楚的原因。没有某个原因，没有某个动机，他就不会做任何事情。如果我们把儿童的每个行为都解释为一时兴起，那很容易做到，但就是一时兴起也包含着诸多因素。儿童的心灵是个有待解决的问题，是一个还没有谜底的谜。要找到答案，有时候可能是很难的，但是这种研究也可能是极为有趣的。如果一个成年人想找到这些谜底，他必须对儿童采取一种新的态度，增强对他的责任感。他必须成为一个研究者，而不是一个思想麻木的统治者或专制的法官，在与儿童的关系上成人经常以后者的身份出现。

这里，我记起一次与几个妇女一起讨论儿童书籍的问题。一位带着她18个月大的孩子的年轻母亲说："有一些书很可笑，插图稀奇古怪。我有一本书，书名叫《小黑人萨博》，萨博是个黑人小孩儿，在他生日那天，他从父母那里得到许多礼物：帽子、鞋、长统袜和色彩明艳的新衣服。在他父母为他准备丰盛晚饭的时候，萨博急不可耐地想炫耀他的新衣服，于是悄悄地溜出了家。在街上，他碰到了许多野兽。为了安抚它们，他给每个动物一样东西，他把帽子给了长颈鹿，鞋子给了老虎，等等。最后，他流着眼泪一丝不挂地回到了家。但这个故事的结局是愉快的，因为在这本书的最后一页可以看到他父母原谅了他，他的面前还摆着丰盛的晚饭。

这个妇女把书传给其他的人看。但这个小孩突然说："不，Lola"，所有的人都很惊讶。这个小家伙不断重复着"不，Lola"，究竟是什么意思呢？

他母亲说："Lola是个保姆的名字，她曾照看过他几天。"但这时，这个小男孩开始哭了起来，他喊着："Lola"声音比刚才更大了，仿佛陷入神志迷乱之中。最后，我们给他看那本书，他指向最后一幅图画。这幅画并不在书的正文中，而是在封底上，画面上，那个可怜的黑人小孩正在哭。此时我们才明白："Lola"的含义。他把西班牙语的"llora"（他在哭）说成了"Lola"。

这个小孩是对的。这本书的最后一幅画并没有描绘一个愉快的场面，而是萨博在哭。没有人注意到这一点。这个小孩是在对他妈妈所说的"结局是愉快"表示抗议。这是完全合乎逻辑的。

很明显，这个小孩看书时比他的妈妈更仔细。他看到了最后一幅画是萨博在大哭，虽然他还不能完全理解她们的对话，但他那准确的观察力确实令人惊叹。

儿童的心理个性跟我们成人的差别甚远，这是一种性质上的差异，而不仅仅是程度上的差异。

儿童关注最微小的细节，他们一定是在带着轻蔑的眼光看待我们，因为他不懂得心理综合，而我们却经常使用。结果，儿童必然认为我们多少有点儿无能，认为我们无法正确地理解。从儿童的角度来看，我们不够精确。由于我们不关注细枝末节，他就认为我们迟钝和无能。如果儿童表达自己的观点，他一定会告诉我们，他极不信任我们，就像我们不信任他一样，这是因为我们各自的思维方式是如此的不同。这就是为什么儿童和成人不能相互理解的原因。

PART 10

儿童成长的障碍

成年人应该去努力理解儿童的需要，这样就可以给他们提供一个适宜的生长环境，使他们得到满足。只有这样，才能开辟教育的新纪元，才能真正给人类带来帮助。

——玛利亚·蒙台梭利

PART 10

儿童成长的障碍

睡　眠

当儿童长大到能够独立行动的时候，他与成人之间的矛盾也就开始了。当然，没有一个人能够完全控制儿童的视听，进而征服他的世界。但是当儿童开始独立行动、走路、触摸各种东西时，情况就另当别论了。即使一个成人确实爱他的孩子，但他的内心仍然会有一种自我保护的本能。正在成长的儿童与成年人各自不同的心态的确差别很大，如果双方不作一些调整，他们就无法和谐地生活在一起。我们不难看到，这些调整是对儿童不利的，儿童弱小无力，只好任人摆布。儿童的行为如果与成人的需要不一致，就会不可避免地遭到限制。尤其是当成人没有意识到自己的自我保护心态时，他们反而会相信自己确实给了孩子深厚的爱和奉献。

但是，成人的这种无意识的自我保护，并不是以它的真实面目表现出来的。成人具有一种贪婪的心态，这使他小心翼翼地保护自己拥有的任何东西。然而这种贪婪却被“有责任正确地教育儿童”这个信条掩饰起来了。成人害怕儿童打扰他的安宁，就找来一个借口：“为了保证儿童的健康，应该让他多睡些”。

一个缺乏教养的妇女，为了不让孩子打扰她，可能对他大声喊叫、打骂，并把他从家里赶到街上去。但过后，她又会亲昵地抚摸、热烈地吻他，以表明她确实爱着她的孩子。

社会较高阶层看上去似乎好一些，例如，他们会表现出爱、献身、责任感和表面上的自我控制。不过这些较高阶层的妇女比那些没有教养的妇女更乐于摆脱子女对她们的纠缠。他们把自己的孩子托付给保姆,让她带他们去散步、哄他们睡觉。

这些妇女对她们雇佣的保姆显得耐心、仁慈、甚至很谦恭。这其实是一种暗示,虽然没有言明,但保姆已经明白,只要让令人烦恼的孩子离得远一点,主人就能容忍一切。

当儿童刚学习走路、并因为自由行动而欣喜不已的时候,他就遇到了一群巨人,他们阻拦他的每一个举动。儿童所处的境地,就像摩西带领希伯来人逃出埃及时的情形差不多。当他们克服沙漠的困扰跳上绿洲时,就面临着战争。与亚摩利人打仗的痛苦回忆,仍然使他们充满了恐惧,这使他们在沙漠里漫无目的地徘徊了 40 年。在那里许多人因精疲力竭而死去。

人类保护自己的财产,使其免受侵犯,这几乎是自然的规律。在某些民族中,这种倾向变得极为强烈。这种本能性的自我保护,藏在人类心灵的潜意识中。人们认识到的这种现象,还表现在成人注意保护自己的安宁和财产免受后代的侵犯上。尽管他们做出了努力,但侵犯并没有被制止。他们拼命地战斗着,因为那是为自己的生活而斗争。

这种父母的爱和儿童的单纯无知之间的战斗是在无意识中进行的。

成年人会心安理得地说:“儿童不应该到处乱走。他不应该碰不属于他的东西。他不应该大声说话或叫嚷。他应该多躺一会儿。他应该吃和睡。他应该到户外去。”这个发号施令的人似乎不是家庭一员,对孩子也没有特殊的爱。那些懒惰的父母会选择最省力的方法,他们干脆打发自己的孩子去睡觉。

谁会在让孩子睡觉这一点上犹豫不决呢?

但是,如果一个儿童是那么机灵和那么快地服从了,从本质上来看,他应该不是一个“睡眠者”。当然,他需要也应该得到正常的睡眠时间,但必须区分什么是适宜的睡眠,什么是人为强制的睡眠。一个强者可以通过暗示把自己的意志强加给弱者。一个成年人如果强迫儿童超时睡眠,他就是在通过暗示的力量,无意识地把自己的意志强加给儿童。

成年人,不论他们是有学问的或没有学问的父母,还是照顾婴儿的保姆,都联合起来促使这个充满生气的、活跃的婴儿去睡觉。

在富有的家庭里，甚至2岁、3岁或4岁的儿童都要被责令过量睡眠。然而贫困家庭的孩子却不是这样，他们整天在街上跑，没人让他去睡觉，因为他们并不是母亲厌烦的根源。通常情况下，这些贫穷家庭的孩子，比富家子弟要更平和一些。我记得一个7岁的小孩对我说，他从来没看见过星星，因为他的父母总是让他在夜色降临之前就去睡觉。他告诉我："我想在夜晚的时候登上山顶，舒展身子躺在地上，这样就可以看到星星。"

许多父母夸耀他们的孩子习惯于一到黄昏就去睡觉，这样他们就可以自由地外出了。

即使是儿童的床，也会成为他痛苦的根源。如果我们比较一下柔软、美丽并带有栏杆的小婴儿床和宽敞的成人床，就会发现，婴儿的床就像一只悬空的鸟笼，这样他父母或保姆在照料他时就省去了弯腰的麻烦，他们也不必担心躺在里面的婴儿会摔下来受伤。而且婴儿的房间也是遮阳的，以致第二天的阳光也不能唤醒他。

能够给予儿童心理发展的一个最大帮助，就是给他一张满足他需要的床，以及不让他的睡眠超过必要的时间。只有当他困了、累了的时候，才让他去睡觉。当他睡够了就醒来，想起床时就爬起来。这就是为什么我们向许多家庭建议应该抛弃儿童的床。儿童应该拥有一张贴着地板的矮床，这样，他就可以随心所欲地躺在那里或起床活动了。

像所有有助于儿童心理生活的新东西一样，一张矮床是非常经济的。儿童需要的是简单的东西，复杂的东西往往更容易阻碍儿童的发展而不是促进他们的发展。在许多家庭里，常把小床垫铺在地板上，上面再盖一条大毯子，由此改变了儿童的睡眠习惯。这样，一到晚上儿童就可以自己高兴地去睡觉，早晨起床也不会打扰任何人。这些例子表明，成年人是怎样错误地将自己的意愿强加给儿童，并在照顾儿童上费力不讨好。实际上，由于他们自我保护的本能，使他们违背了儿童的需要。其实，这种本能是可以轻易克服的。

从所有这一切，我们应该懂得，成年人应该努力去理解儿童的需要，这样就可以给他们提供一个适宜的生长环境，使他们得到满足。只有这样，才能开辟教育的纪元，才能真正给人类带来帮助。成人不应该把儿童当作没有生命力的物体，不应该在他小的时候随便支配他，在他长大以后又让他惟命是从。成人必须确信在儿童的发展方面，他们只能起一个次要的作用。他们必须努力地了解儿童，这样才能适当地帮助他们。这应该是所有母亲的目的和愿望，也应该是所有教育工作者的目的和愿望。由于儿童要比成人弱小得多，如果儿童要发展自己的个性，那么成人就必须控制自己，倾听孩子的心声。成人应该把理解和倾听孩子作为一种职责。

PART 11

行走

儿童掌握行走的能力，靠的不是等待这种能力降临，而是通过学习走路获得的。学会走路，对儿童来说是第二次出生，这时他从一个不能自助的人变成了一个积极主动的人。成功迈出第一步，是儿童正常发展的主要标志之一。

——玛利亚·蒙台梭利

在照顾儿童时，成人应该遵循一种方式，即放弃自己的优势，以便适应成长中的儿童的需要。

高等动物会本能地使自己适应幼仔的需要。当母象把一头小象带到象群里时，这些大象就会放慢自己的步伐以适应小象的步调，当小象因疲劳而停下来时，它们也都停下来。

在各种文化中，可以发现类似的为儿童着想的情况。有一天，我看到一个日本人，这位父亲正带着他年幼的儿子散步。我走在他们后面，突然发现这个一岁半到两岁的小孩用手臂抱住她父亲的腿。这位父亲就站在那里不动，让孩子绕着他的腿玩耍。等孩子玩儿够了以后，他们才又开始向前走。过了一会儿，小孩又坐在了路边，他父亲就站在一边等他。这位父亲的表情是严肃的，但十分自然。他并没有做什么不同寻常的事，他仅仅是作为一个父亲带着他的儿子散步。

上面的例子，是最适合儿童的散步方式。因为儿童正在学习如何协调各种不同的动作，并且需要靠两条腿维持平衡和向前行走。

尽管人像其他动物一样有肢体，但人必须用两肢而不是四肢来行走。猴子的手臂很长，当它在地面上行走时，可以给予协助。人是唯一的、完全依靠两条腿来平衡走路的动物。四足动物行走时，会交替地抬起一条前腿和与之成对角线的后腿，并让另两条腿着地。但人走路时，先用一条腿支撑着自己，然后再换另一条腿支撑。大自然已经解决了行走的难题，只是采用了不同的方法而已。动物是本能地学会行走，而人类是通过主观的努力才学会走路的。

儿童掌握行走的能力，靠的不是等待这种能力降临，而是通过学习走路获得的。父母欣喜地看到了孩子迈出的第一步，儿童的第一步意味着对自己的征服，通常标志着儿童由 1 岁长到 2 岁。学会走路，对儿童来说是第二次出生，这时，他从一个不能自助的人变成了一个积极主动的人。成功地迈出第一步，是儿童正常发展的主要标志之一。但在第一步迈出之后，他仍然需要经常练习。能掌握好平衡并迈出稳健的步伐是个人持续努力的结果。儿童尝试走路的时候，仿佛是在受一种不可压抑的动力驱使。他勇敢无畏，甚至在尝试中草率鲁莽，就像一个真正的士兵，不管遇到什么困难，他都坚持向胜利冲刺。正是由于儿童这种不达目的不罢休的劲头，反而促使成人在儿童的身边布置防范措施。实际上，这些措施对儿童来讲都是他们的障碍。即使儿童的腿已经强有力了，他们仍把儿童关在"学步栏"里或儿童练走路的走步车里。

当成人带儿童外出时，即使他能够走路了，成人仍把他放在手推车里推着走。但儿童因为腿短，没有耐力走远路，就不得不向那些不肯放慢脚步的成人妥协。即使把小孩带出去的是他的保姆，也是儿童去适应保姆，而不是保姆适应儿童。保姆会以自己的速度径直走向户外活动的目的地，小孩被放在手推车里面，仿佛这个保姆推的是装满蔬菜的小推车。只有到了公园以后，她才让小孩从手推车里出来，让孩子在草地上走动。她则坐在一边两眼始终注视着他，这个保姆所做的一切仅仅是为了避免发生意外。

1岁半到2岁的儿童能走好几英里的路，还能爬斜坡和梯子等有难度的物体。但是他们走路的目的与我们成人的目的截然不同。成人走路是为了某种外在的目的，所以他会径直走向目的地。他有稳健的步伐，他会以机械的步频向前行走。与此相反，儿童行走是为了完善自己的能力，他的目的是实现他自身某种创造性的东西。他走得很慢，还没有一种有节奏的步伐，他也不是去某个最终的目的地。他朝前走，仅仅是因为突然有个什么东西吸引了他。如果一个成年人想帮助儿童，那他必须放弃自己的步速和他最终的目的地。

在那不勒斯，我结识了一对夫妇，他最小的孩子1岁半。夏季的时候，他们为了去海边，必须走大约一英里，陡峭的下坡路使手推车或马车都无法通行。年轻的夫妇想带孩子一起去，但他们发现将他抱在怀里太累人了。最后，小孩自己解决了这个问题，他时而走路，时而奔跑，并走完了整个路程。他还不时地停下来，站在花旁，或坐在草地上，或站着看一些动物。一次，他站在那里看田野里的一头驴子，足足看了15分钟。每天，这个小孩都自己缓慢地走过这条漫长而又高低不平的路，并且没有疲倦感。

在西班牙，我认识两个年龄在2岁~3岁的儿童，他们都能够走一英里半的路。还有许多其他儿童，他们能在又陡又窄的梯子上爬上爬下达一个多小时。

有些母亲在提到她们的孩子做上面提到的一些活动时，说孩子的表现很不正常。有一位母亲因为她的小孩发脾气便向我咨询。她的小孩是几天前开始学走路的。这个小女孩，不论在什么时候，只要一看到梯子就会尖叫。如果有人抱她上下楼梯，她几乎会激动得发疯。她母亲认为也许是自己误解了孩子发怒的原因。这种情况实在是难以理解，只要抱着小孩上下楼梯，小孩就会变得眼泪汪汪、焦躁不安。她母亲认为，这种心理紊乱也许只是一种巧合。但是很明显，这个小孩只是想自己爬上爬下楼梯。她对楼梯的台阶更感兴趣，她可以把手搁在台阶上，或坐在台阶上。对她来说，楼梯要比旷野里有趣多了，在旷野上她的双脚都被草掩盖着，也找不到搁手的地方，然而她却只被允许在这样的地方散步。

儿童天生喜欢行走和到处跑动。滑梯上总是挤满了儿童，他们登上登下、爬来爬去。贫穷家庭的孩子，能在街上跑来跑去毫不费力地躲开车辆，甚至能坐在汽车或卡车的窗柜上。尽管这是危险的，但他们却不会像富家子弟那样由于羞怯变得迟钝，甚至最后变得懒散起来。这两种儿童在他们的成长中都没有得到真正的帮助。贫穷的孩子被抛弃在大街这种危险的成人环境中，而富家子弟在同样的环境中，却受到太多的限制和障碍，成人还美其名曰是为了保护孩子。

儿童在他长大成人进而使人类得以延续的过程中，应验了弥赛亚的一句话："无所适从"。

PART 12

手

人的手如此精巧复杂，它不仅能展示人类的心灵，而且使人与环境建立了特殊的关系。我们也许可以说人类“靠手征服了环境”。人类的手在智慧的指引下改变了环境，并进而完成了对整个世界的改造。许多时候，年龄幼小的孩子在适宜的环境中，练就的本领和谨小慎微的能力，的确会让我们惊叹不已。

——玛利亚·蒙台梭利

有趣的是，心理学家认为能证明儿童正常发育的三项指标中，有两项与运动有关，即学会如何走路和说话。这两项活动的功能就像一幅占星图，能预测儿童的未来。事实上，儿童能进行走路、说话这样复杂的运动，表明他们在运动和表达上已经赢得了第一个胜利。如果把语言定义为思维的表达方式，那么它就是人类的特性，而行走是人跟其他动物所共有的。

动物与植物的区别就在于，“动物能在空间到处运动”，当这种运动通过肢体来实现时，这种走动的方式就成了一个基本的特征。尽管人类在空间运动的能力十分强大，甚至能做环球旅行，但行走本身并不是人类智力的特征。

相反，与人类智力关系最密切的两种身体运动，是用来说话的舌头的运动和用来工作的手的运动。从人类最早使用的工具——经过削和磨的石块，能推断出在史前期就有人类存在了。运用工具标志着地球上的生物在生物发展史上进入了一个新的阶段。当劳动的手把语言记载在石块上时，语言本身就成了人类历史的记录。人类的特征之一，就是能自由地运用手。人类的上肢成了智慧的工具，而不是运动的手段。正是这种功能，不仅显示了人居于万物灵长的地位，而且表现了人类天性的和谐统一。

人的手是如此精巧、复杂，它不仅能展示人类的心灵，而且使人与环境建立了特殊的关系。我们也许可以说人类“靠手征服了环境”。人类的手在智慧的指引下改变了环境，并进而完成了对整个世界的改造。如果我们想确定一个儿童的智力发展程度，就应该去考察他最开始的“智力表现”，也就是说我们应该研究他的语言和劳动中对手的运用，这样做应该是合乎逻辑的。

人们已经本能地认识到了智力的两种外部表现，即语言和手势的重要性，并且深信不疑地认为，它们是人类的主要特征。但是，人们仅仅把语言、手势的重要性与成人社会的某些现象联系了起来。

例如，当一对男女结婚时，他们就会拉起手“许下誓言”。当男人向女人求婚时，他也会“拉起她的手”，向她“许诺”或“立下保证”。在宣誓的时候，一个人也会举手宣讲誓言。手还被象征性地用在宗教仪式中，这时它强烈地表现了自我。皮拉特为了推卸他对耶稣死去的罪责，在公众面前，既是真的也是象征性地洗了手。在进行弥撒的最严肃的一些程序前，祭坛上的神父总是说：“我在无罪的人中洗手。”实际上，当他讲这些话时，他只是洗了洗手指，虽然他在上台前，已经洗过手了。

这些不同的例子可以表明，人们是如何潜意识地把手当作内在自我的表达方式的。如果确实如此的话，那在儿童逐步学会必需的“人类活动”中，还有什么会比他们开始使用手更奇妙和神圣的呢？因此，我们应该热切地期待着儿童向外界物体伸出小手。

这些小手第一次机灵的活动，意味着儿童想把自我融入到世界中去。对于这样的活动，成人应该在心中充满赞美才对。但是恰恰相反，成人害怕那些小手伸出去拿一些其实并没有什么价值也无足轻重的东西。他们千方百计把这些东西藏起来，不让儿童拿到。他们总是说：“不要碰”，正如他不断地重复：“别动，安静！”一样。

成人在潜意识的阴影下隐藏着某种焦虑，这使他们无意识地进行自我保护，甚至求助于其他成年人。这些成年人好像正在秘密地与侵犯了他的安宁和财产的力量作斗争。

儿童为了促进自己心智的发展，必须在周围的环境中找到用来看和听的东西。因为儿童需要运动，需要运用双手才能促进自身的发展，所以他需要能让他运动的东西，并给他提供活动的机会。但是，在家庭里，这种需要却被忽视了。儿童周围的东西属于成人所有并且由他们使用。这些东西对儿童来说都是禁止使用的。在儿童的成长中，有一条重要的戒律被确定了下来，就是不许碰任何东西。如果一个儿童成功地抓到了什么东西，他就会像饥饿的小狗发现了骨头一样，躲到角落里去啃，从这些他很难得到的东西上吸收营养，并且非常害怕有人会把它夺走。

儿童的运动并不是偶然的情况。他在自我的指导下，对这种有组织的运动进行必不可少的协调工作。经过无数次的协调经验，他的心智不断发展，他的表达能力也在不断地进行自我协调、组织和统一。因此，儿童必须能自由地决定和完成他想做的事。由于他正处在自我塑造的过程中，所以他的运动有一个特征，就是这种运动并不是出于偶然和漫无目的。儿童并不仅仅是在漫无目的地跑、跳和拿东西，并把屋子搞得满地狼藉。儿童的建设性活动是从别人的活动中得到的启发，他努力地去模仿成人使用或处理物品的方式。他还试图在使用同一个东西时，和成人做得一模一样。因此，儿童的活动与他的家庭和社会环境有着直接的联系。儿童想要去扫地、洗盘子、洗衣服、倒水、洗澡、梳头、穿衣，等等。儿童的这种天赋倾向，可以称作“模仿”，但这种表述并不确切，例如它就不同于猴子的模仿行为。儿童建设性的行为本质上是一种智慧，源于心理的因素。儿童在做某件事之前，已经知道他想做什么。他看到另一个人在做某件事时，他自己也渴望去做。他学习说话就是如此。儿童获得的语言就是从他周围听到的。他拥有记忆力，能记住他以前听过的词汇。但他能根据不同情况的需要，自己去运用词汇。就词汇的运用而言，儿童与鹦鹉大不相同。儿童不仅仅模仿声音，而且能运用他学到和掌握的知识。儿童决不是仅仅做机械模仿。如果我们要更深入地了解儿童的活动和他与成人的关系，就必须认识到这一点。

基本的活动

在儿童能够像他所看到的成人那样，去条理分明地做事之前，他已经开始有目的地活动了。但他使用东西的方式对年长的人来说，常常是不可理解的。儿童通常在1岁半到3岁之间会发生类似的情况。例如，我曾经看到一个18个月大的儿童，他发现了一叠刚刚熨平的毛巾，整齐地叠放在一起。这个小家伙会拿起其中的一块毛巾，极小心地捧在手里。他把一只手放在毛巾上面，以便毛巾不会散开。他就这样托着毛巾，走到房间斜对面的角落，把它放在地板上说：“一块”，然后又像他来的时候那样走回去。这确实表明他就是在以某种特殊的敏感性在行事。等他穿过房间之后，又用同样的方式拿起第二块毛巾，小心翼翼地捧着它并沿着同样的路线走到角落里，把它放在第一块毛巾的上面，又说了一遍：“一块”。他不断地重复着这项工作，直到把所有的毛巾都拿到那个角落为止。然后，他把这个过程倒过来，又把所有的毛巾一块一块地放回原先的地方。虽然这些毛巾不像最初放置的那样完美，但仍然折叠得相当好，尽管堆放得有点儿倾斜，但实际上是整齐的。这对儿童来讲是幸运的，因为在这个漫长的调换过程中，没有其他人打扰她。儿童不知多少次，听到成人在他背后大声叫喊："别动，别动，别碰那东西！"他们细嫩的小手，因为成人教训他们不要碰东西挨过多少次打啊！

还有一项令儿童着迷的"基本工作"，是取下瓶盖然后再盖上。孩子们特别喜欢玩能反射出七色光的瓶上的盖子。取下瓶盖再盖上，似乎是他们最喜欢的一项工作。还有一项儿童喜欢的工作是，把水瓶和盒子的盖子拿下再盖上去，甚至是打开再关上橱柜的门。父母和孩子经常为了一些东西而发生冲突，这是很容易理解的。因为这些东西对小孩有一种天然的吸引力，但它们却是父亲或母亲桌子上的东西，或是起居室家具上的一部分，因此父母会禁止孩子碰它们。这种冲突会导致儿童发脾气。实际上儿童并不是真想要一个特制的瓶子或墨水瓶，他只是想要一个能有同样玩法儿的东西而已。

诸如此类的基本行为，都没有什么外在的目的，它们可以被看做是人类第一次进行的不够成熟的努力。我们已经为年纪较小的儿童设计了一些玩具，例如，由大到小的一系列圆柱体，它们正好可以嵌入木板上不同的孔中，由于这些东西能满足儿童生活中某个特定时期的需要，所以获得了很大的成功，按儿童独立的想法，以上这些是容易被接受的，但是，在成年人的思想中却有一个根深蒂固的障碍，使这个想法很难实现。一个年纪大一点的人，即使他同意儿童的要求，让他随便地触碰、挪动东西，也会发现他无法抵制心里的一种模糊的冲动，这种冲动将导致他去支配儿童。

纽约有一位有这种想法的妇女，虽然没有限制她2岁半的孩子搬东西，但却总想替他做点儿什么。有一天，她看到儿子把一只装满水的水罐拿到客厅里去。她注意到，他处于高度的紧张之中，并缓慢地、费力地穿过房间。他一边走一边对自己说："小心，小心！"这罐水很重，孩子的母亲终于忍不住要去帮他了。她拎起水罐，把它拿到他要去的地方，但这个孩子却很伤心，感到受了委屈。他的母亲承认说她也很难过，但是她还认为这么做是对的。她说，虽然她认识到孩子正在做的事是必须的，但是她又觉得，让孩子搞得精疲力竭，并且浪费很多时间是不值得的。因为对于这种事情，她很快就能办好。

这个妇女向我咨询的时候说:“我知道自己做错了。”我思考了这个问题的另一个方面,即“对孩子的吝啬”,它产生于要保护自己财产的欲望。我问她:“没有好的瓷器吗,比如说杯子一类的?让你的孩子拿一个这样轻巧的东西,看看会发生什么事。”这位妇女接受了我的建议。后来她告诉我,她的孩子十分小心地拿着杯子,每走一步都要停一停,最后安全地把杯子放到了目的地。整个过程中,孩子的母亲由于两种感情激动不已,一种是为她儿子的工作感到高兴,另一种是为她的杯子担心。但她还是让儿子完成了这项工作,因为孩子非常渴望能做这件事,这对他的心理发展也是极为重要的。另一次,我把一块抹布放在一个14个月大的小女孩子手中,这样她就可以做些清洁工作。当她坐下来时,她用抹布擦了许多明亮的小东西,并对自己的工作感到十分高兴。但她的母亲却不愿意给她的小孩这样的东西,因为她觉得这样的东西不适合如此小的孩子。

一个成人如果不理解儿童喜欢工作的本能的重要性,他就会对儿童第一次表现出这种本能惊讶不已。成人意识到,为了满足儿童的需要,他必须做出巨大的牺牲,必须抛弃他的某个脾性,降低对环境的要求,但这与他的日常生活会发生抵触。但是,如果不让儿童接触他周围的环境,就像目前仍在做的那样,就会阻碍他的成长,这就好像不允许他们学习如何说话一样。

解决这种冲突的办法,是给孩子准备一个适宜的环境,让他能实现自己强烈的渴望。当一个小孩说第一句话时,不需要给他准备什么特殊的东西,因为他的牙牙学语,在家人听起来是一种欢乐的声音。但是,他的小手要想工作,就得要有东西来配合,这样的东西能够“刺激活动”。我们常常可以发现,儿童做完一件事所花费的体力常常超出我们的想象。我有一张照片,照片上的一个英国小女孩拿了一个大面包。面包太大了,她两只手都拿不住,不得不把它紧靠在身体上。她被迫腆着肚子走路,这样一来就没法看清脚下的路了。在这个照片中,还有一只狗陪伴着小女孩,她一直在狗的视线之内。这个情形看起来很紧张,那条狗似乎马上就要奔过去吃她手上的面包。照片的背景中,有几个成人在注视着小女孩。他们只得克制自己,不冲上去帮孩子拿面包。

许多时候,年纪很小的孩子在适宜的环境中练就的本领和谨小慎微的能力,的确会让我们惊叹不已。

PART 13

节 奏

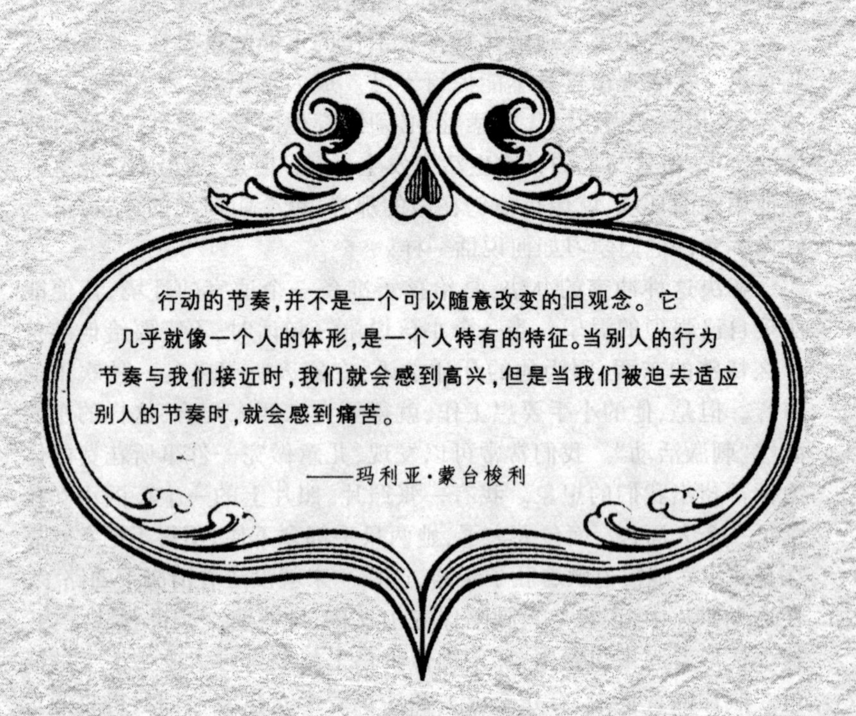

行动的节奏，并不是一个可以随意改变的旧观念。它几乎就像一个人的体形，是一个人特有的特征。当别人的行为节奏与我们接近时，我们就会感到高兴，但是当我们被迫去适应别人的节奏时，就会感到痛苦。

——玛利亚·蒙台梭利

成人如果不理解儿童需要运用他的双手，不明白这是他工作本能的一种表现，就会阻碍儿童的发展。这并不能都归咎于成人自我保护的心态，可能还有其他原因。其中一个原因是，成人看重的是其行为的外在结果，并且只根据自己的思维角度来选择用什么样的方法。对成人来说，有一条自然法则，即“最大效益法则”，这使他习惯用最直接的手段、在最短的时间内达到他的目的。当成人看到儿童付出巨大的努力却收效甚微，而同样的事他很快就能干完并做得干净利落时，他就会忍不住想去帮助这个儿童。

在成人看来，儿童热衷于那些琐碎或毫无用处的东西实在是很古怪、让人难以理解的。当一个儿童看到桌布斜了，他就开始琢磨桌布应该怎样铺，并且试图慢慢把它弄直。对于处在这一发展阶段的儿童来说，这是一个壮举。成人只有站在一边不去阻止他，儿童才能成功地完成这项工作。

当一个儿童想要梳子来梳头时，成人不但没有为这种可贵的想法感到高兴，反而对他横加指责。他明白儿童不可能迅速地把头梳好，当然也无法让他满意，而他则能替儿童梳得又快又好，于是就快速地帮孩子来做这件事。儿童本来是想进行一次快乐的尝试的，但他却看到成人走上来拿起梳子，态度很坚定地必须由他来梳头。成人对儿童来说，是个强有力的巨人，与他争辩是毫无用处的。当成人看到儿童想穿衣服或系鞋带时，同样的事情也会发生。儿童的每一个想法都会受到阻挠。成人对儿童恼怒，不仅是因为他们认为儿童所做的一切都毫无用处，还因为儿童行动的节奏和行为方式都与他们不同。

行动的节奏，并不是一个可以随意改变的旧观念。它几乎就像一个人的体形，是一个人特有的特征。当别人的行动节奏与我们接近时，我们就会感到高兴，而当我们被迫去适应别人的节奏时，就会感到痛苦。

例如,当我们和一个局部瘫痪的人一起走路时,我们就会感到一种痛苦;当我们看到一个患有中风病的人用颤抖的手缓慢地把杯子举到唇边时,他颤抖的动作和我们的行动自如形成的强烈反差也会让我们痛苦。假如让我们去帮助他们,我们就会设法用自己的行动节奏去代替他们的节奏,以此来缓解我们内心的不适。

成人对儿童的所作所为与此有些类似。成人无意识地极力阻挠儿童进行这种自然而然的、缓慢和不慌不忙的活动,成人会像赶苍蝇一样,想摆脱掉这种烦恼。

另一方面,成人却乐于接受敏感和活动迅速的节奏。他能够容忍活泼好动的儿童造成的无序和混乱,这时成人会耐心地"袖手旁观",因为他知道这个儿童正在做些什么。但是当一个儿童动作缓慢时,成人就会有一种干预的欲望,想代替他把事做完。但是,成人这样做的时候,对儿童的心理需要没有丝毫帮助,反而替儿童做了他们自己喜欢的事。成人阻挠儿童自由地行动,因此他本人成为儿童自然发展的最大障碍。"任性"的儿童会声嘶力竭地哭闹,不让别人帮他洗澡、穿衣或梳头。这种戏剧性的冲突表明,儿童想靠自己的努力成长。谁会想到,对儿童的毫无必要的帮助,会成为他成长中的第一个心理压抑呢?这种压抑对他们今后的生活会产生严重的后果。

在日本,在儿童的墓前放置一些小石块和类似的东西,是作为对死者祭祀的一部分。儿童的父母在坟墓上放置的石块,是为了使他能重新搭建曾经玩过的玩具城堡,但是这些城堡常会遭到令人讨厌的恶魔破坏。死去的儿童将遭受痛苦的折磨,这种观念是最惊人的一个例子,表明我们已经把这种潜意识投射到人死后的世界中去了。

PART 14

人物角色的替换

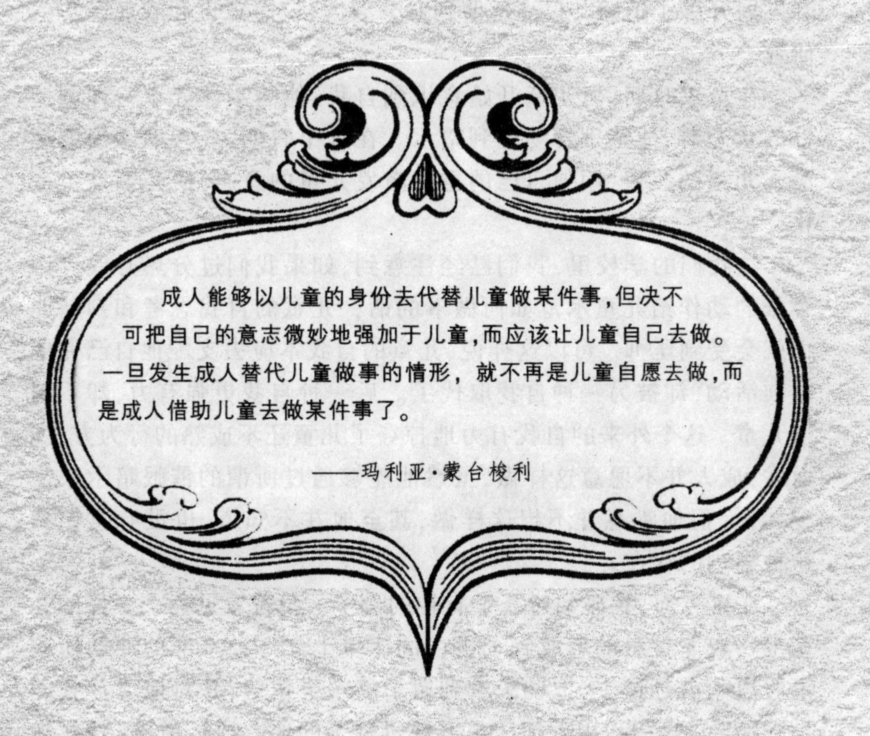

成人能够以儿童的身份去代替儿童做某件事，但决不可把自己的意志微妙地强加于儿童，而应该让儿童自己去做。一旦发生成人替代儿童做事的情形，就不再是儿童自愿去做，而是成人借助儿童去做某件事了。

——玛利亚·蒙台梭利

查尔特在他著名的精神病院所做的实验研究证明，通过催眠术，可以替换癔病患者的人物角色。这引起了很大的轰动。他的实验似乎否定了以前被当作人性最基本的一个特征的论断：人拥有属于自我的言行。查尔特从实验中证实，一种强烈的暗示可以给予被实验者，使他失去自己的人物角色，接受催眠师的角色。

这些实验虽然数量有限，并且只在诊所里进行，但为新的研究和发展开辟了道路，它已延伸到对分裂人格、潜意识和心理升华的研究。

在童年时期，当儿童开始意识到自我，他的本性处于一种创造性的状态时，他特别容易受到暗示。在这个时期，成人能够悄悄地潜入儿童的心智，用他自己的意志激发儿童的意志，使儿童发生变化。

在我们的学校里，我们已经注意到，如果我们过分热心或者用夸张的动作给儿童示范如何做事的话，儿童的自我思考和判断能力就会受到压抑。可以这样说，儿童的自我本应去支配他自己完成这项活动，却被另一种自我取代了。后一种自我更强有力，却不属于儿童。这个外来的自我有力地掠夺了儿童还不成熟的行为方式。通常，成人并不愿意这样做，虽然他能够通过所谓的催眠暗示来支配儿童，但他本意并不想这样做，甚至他并不知道，也没有意识到这种影响的存在。

在这方面，我碰到过几个有趣的例子。我曾看见一个2岁的儿童把一双非常脏的鞋放到了雪白的床单上。一种本能的冲动使我不假思索就赶过去，把鞋子拿到屋子的一个角落，并对他说："它们是脏的"。然后，我用手把床单上放过鞋子的地方掸了掸。这件事之后，这个小家伙无论什么时候看到鞋子就跑过去说："它们是脏的"。然后，他再走到床边，把手按在床上，似乎想把床单弄干净。可是鞋子并没有在床上放过。

这里还有一个例子。有一天,一个妇女收到了一个邮包,她感到非常高兴,打开来后,发现里面有一块丝质手帕。她把手帕给了她的小女儿,里面还有一只喇叭,母亲就放到嘴上吹了起来。这个小孩高兴地叫着:"音乐!"隔了一段时间以后,只要这个小孩碰到一块布,就会微笑着说:"音乐"。

成人对儿童的禁令,如果不能有力地引起儿童的反应,就很容易对儿童的行为产生障碍。这些喜欢发布禁令的人主要是有教养的和善于自我约束的成年人,尤其是那些文雅的保姆。

有一个有趣的例子,一个4岁左右的小女孩跟她的外祖母住在乡下的花园里,那里只有她们俩。小女孩显然是想打开花园里人造喷泉的水龙头,以便看到喷水。但当她正要这样做时,却突然把手缩了回来。她的外祖母鼓励她打开水龙头,但小女孩回答说:"不,我的保姆不喜欢这样。"于是小孩的外祖母试着去说服她,对她说外祖母允许她打开水龙头。一想到能看到喷水,这个小孩又高兴地笑了起来。她伸出了手,但并没有打开水龙头,而是又把手缩了回来。保姆虽然并不在场,但她的禁令却比在孩子身边的外祖母的鼓励还具有更大的约束力。

还有一个例子与此有些类似。一个年龄稍大些,大约7岁左右的男孩,他坐着的时候,被远处的某个东西吸引,他站起来准备朝那个东西走去,但又退回来坐下了。好像他的意志动摇不定,并因此而感到难受。谁是阻止他迈步的"控制者"呢?没有人知道,因为即便是这个孩子也无从知晓了。

对周围环境的喜爱

儿童对暗示的敏感性,可以理解为是一种内在敏感性的表现。这种内在的敏感性有助于儿童的心理发展,可称之为"对周围环境的喜爱"。儿童是一个热忱的观察者,他特容易被成人的行为吸引,并乐于模仿他们。在这一方面,成人应该承担一种责任。成人能够鼓舞儿童去行动,因为他就像一部打开的书,儿童能够从中学会如何引导自己的行为。但是,如果成人要想提供正确的指导,就必须始终平静地、慢慢地行动,这样,正在注视他的儿童才能看清他行动的所有细节。

如果成人不这样做,相反只按照自己的习惯去做,那么,他不但没有鼓励和教导儿童,反而把自己的快节奏强加给了儿童,并通过暗示的力量使他自己代替了儿童。

即使是感官对象,只要它们是有吸引力的,就能够对儿童产生一种强有力的暗示,就会像磁铁一样引出各种各样的活动。莱文教授用电影记录了一项有趣的心理学实验,这部电影有助于说明这个问题。电影的目的是为了通过儿童对同样一些物体的反应,来区分有缺陷的儿童和正常的儿童。这些儿童都来自我们的一所学校。他们年龄相仿,他们的生活背景基本相同。道具是一张大桌子,上面放满了许多不同的东西,包括我们设计出来供儿童使用的一些玩具。

在电影中,我们可以看见一组儿童正走进教室。他们对面前的各种东西都很感兴趣,并被吸引住了。他们显得很快乐,他们的微笑表明,拥有这么多的东西使他们非常高兴。每个儿童都拿起一样的东西开始工作,过一会儿就把它放在一边,又拿起别的东西玩了起来,这样反反重复,干完这个又做那个。

电影的上半部放完之后,我们看到第二组儿童正走进教室。他们慢慢地走,停下来并环顾四周。他们很少拿这些东西,只是聚在它们周围,似乎并不踊跃。从电影的下半部开始,这种情况一直持续到结束。

这两组儿童,哪一组是有缺陷的儿童,哪一组是正常的呢？有缺陷的儿童是高兴的、活泼的,他们到处走动,玩每一件东西。可是对看这部电影的人来说,这些儿童给人们的印象更聪明,因为通常成人习惯于把做了一件又一件事后感到活泼又快乐的儿童看做是更聪明的。

但实际上,正常的儿童是在以一种平和与安静的方式到处走动。在电影中,我们看到他们长时间地站着不动,沉思着注意一件东西。他们以惊人的方式表明:安静和有分寸的活动,并伴随着认真的思考,是正常儿童的标志。

莱文教授的实验与普遍接受的观念是相冲突的，因为在通常的环境中,聪明的儿童会像电影中有缺陷的儿童那样活动。在我们学校里可以发现,一个正常儿童的行为则有所不同。他缓慢并且沉思,但他的行动却受自我控制,并由理性指导。这样的儿童会被他所看到的物体吸引，并且会尽力弄清楚这个东西以便能充分利用它,自我控制和有节制才是有价值的。重要的是,儿童应该掌握自己的运动器官,而不仅仅是毫无目的的到处乱闯。

在理性的指导下四处活动的能力，不仅仅会对感官刺激做出反应,而且能使人精力集中。这种能把精力集中在一个物体上的现象是非常重要的。

对一个人来说,有能力用一种审慎和沉思的方式活动,实际上是正常的。这是内心自律、外在有序的体现。当缺乏这种自律时,他就无法控制自己的活动,而受别人意志的支配,或者就像漂泊的船一样,成为外界影响的牺牲品。

他人的意志很难使一个人产生举止得当的行为，因为这种外部的影响不会为这个人的行动提供有条理的指引。当一个人不得不靠别人的意志活动时,我们就可以说他的人格分裂了。当这种情况发生在儿童身上时,他就失去了他本来应该得到的发展良机。这样的儿童比作这样一个成人,这个成人靠热气球降落在沙漠中,突然他发现热气球被风刮走了,把他一个人扔下了。他失去了气球，并且发现周围没有一样东西能代替它。

这种情形会发生在成人身上,而儿童也会遇到类似的情形。这时儿童就会与成人争吵。儿童的心理是模糊的,尚不完善的,他的表达方式也是杂乱无章的。可以说，他似乎成了某些因素的牺牲品。

PART 15

运 动

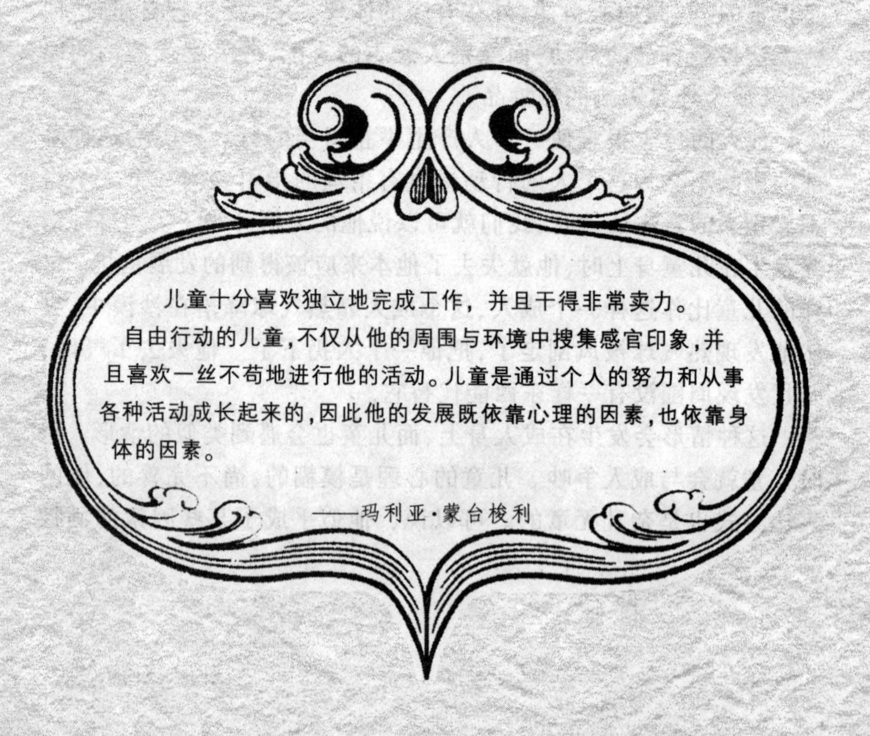

儿童十分喜欢独立地完成工作，并且干得非常卖力。

自由行动的儿童，不仅从他的周围与环境中搜集感官印象，并且喜欢一丝不苟地进行他的活动。儿童是通过个人的努力和从事各种活动成长起来的，因此他的发展既依靠心理的因素，也依靠身体的因素。

——玛利亚·蒙台梭利

在心理发展过程中，身体运动的重要性应该予以强调。当人们列举身体的各种运动功能时，却没有把它们与植物也同样具有的吸收、呼吸等功能明显地区分开来。这种错误是很严重的。人们还几乎把运动仅仅看成是机体呼吸、消化和血液循环方面正常发挥作用的辅助物。

运动，虽然只是动物的特征，但它对植物也有影响。我们几乎可以说，运动始终伴随着所有的身体活动。然而我们如果只从身体的角度来考虑运动，那就错了，我们知道，从事体育运动能使人得益。这类运动不仅仅有益于身体健康，而且还能激发勇气和自信。运动还有一种精神上的影响力，能提高人的理想和唤起旁观者的巨大热情。这些心理上的影响意义要比纯粹身体方面的影响深远得多。

儿童是通过个人的努力和从事各种活动成长起来的，因此，他的发展既依靠心理的因素，也依靠身体的因素。对于儿童来说，能够回忆起他获得的印象，并把它保持得清晰、明确，是极为重要的。因为一个人是通过他所获得的感官印象来形成智力的。正是通过这种秘密的心灵工作，儿童的理性才得到发展。并且归根结底，是理性使人区别于非理性的动物。人是能够用理性作判断的，并通过意志的作用，决定他自己的行动方向。

成人采取的态度是，等待儿童的理性会随着时间的发展而发展。他们不但没有试图去帮助儿童，反而用他们自己的思维方法反对儿童正在发展的理性。这种情况特别容易发生在儿童所从事的活动打扰了他们的时候。但是，正如我们所知道的，运动对儿童极为重要。运动是一种创造性能量的外在体现，它能使人类更加完善。通过运动，人类对外界环境起作用，进而完成自己在这个世界上的使命。运动不仅仅是一种自我表现，更是意识发展不可或缺的因素，因为运动是自我与客观环境建立一种明确关系的唯一真正途径。因此，运动或身体活动，是智力发展的一个基本因素，因为智力的发展有赖于从外界获得感官材料。通过活动，我们接触了客观现实，并借助于这些接触，获得了抽象概念。身体的活动使人的心灵和世界联系起来，但心灵需要两种活动，即获得观念和从外部表现自我。运动或身体的活动是极为复杂的。人的肌肉是如此之多，以致认为无法运用所有的肌肉。甚至可以说，人们闲置了数量众多的肌肉组织。一个芭蕾舞演员经常运用的肌肉，却不是外科医生或机械师所经常运用的，反过来也是一样。一个人对他如何运用他的肌肉，将影响他个性的发展。

每个人都应该进行足够的锻炼，使他的肌肉处于健康状态。这时，他们才认识到不同的活动能发展不同的肌肉。但如果一个人几乎所有的肌肉都没得到过运用，那么他的生命力将很脆弱。

如果应该正常发挥功能的肌肉处于休眠状态，那不仅身体的能力而且心理的能力都会降低。这就是为什么活动也会影响一个人的精神活力的原因。

了解身体运动和意志之间的直接联系，能使我们更充分地意识到身体运动的重要性。生物的所有生长功能，虽然与神经系统有关系，但都不依赖于意志。每个器官都有它自己特有的功能，并可以一直这样工作下去。

不同的细胞和组织有不同的任务要完成。它们就像是专家，能熟练地完成自己的工作，但当他们想做自己专业之外的事时，就显得无能为力了。这些细胞、组织与肌肉之间的本质差别在于，尽管构成肌肉的细胞有自己的工作要做，但它们并不能独立行动，它们需要命令，有了命令的指挥才能行动。我们也许可以把它们比作等待长官命令的士兵。

在那些不需要外界命令的细胞中，有分泌乳汁和唾液、供给氧气、与细菌作斗争的细胞，还有那些通过它们的合作来不停地维持人体健康的细胞。这就好像每个劳动者都为社会的福利而努力贡献一样。它们对特殊任务的适应，对整个机体功能的发挥是非常重要的。

与这些不自觉的细胞和组织的固定活动相比，一个人的肌肉应该是自由的,它能对意志的每个命令迅速地做出反应。肌肉只有通过长期的锻炼和练习才能迅速服从意志发出的命令。只有在这时候,这些必须共同运动以执行命令的肌肉群,才能按他们应有的功能共同发挥作用。

在执行意志的命令时,一个人的身体也许必须不断地进行复杂的动作。由于意志只有通过动作才能得以实现,因此,当儿童试图把意志付诸行动时,我们应该帮助他。儿童有一种天生的欲望,就是能自由地支配他的运动器官。如果他不能这么做,他就无法表现他的智力。因此,意志不仅仅用来指挥行动,还能促进心理发展。

在我们的学校里,最有趣而且意料不到的一个发现是,儿童十分喜欢独立地完成工作,并且干得非常卖力。自由行动的儿童,不仅从他的周围与环境中搜集感官印象,并且喜欢一丝不苟地进行他的活动。那时,他的精神似乎游离于现实存在和自我实现之间。儿童是一个发现者。他在选择自己合适的发展形式方面尽管尚未定型,但具有灿烂的前景。

PART 16

成人对儿童缺乏理解

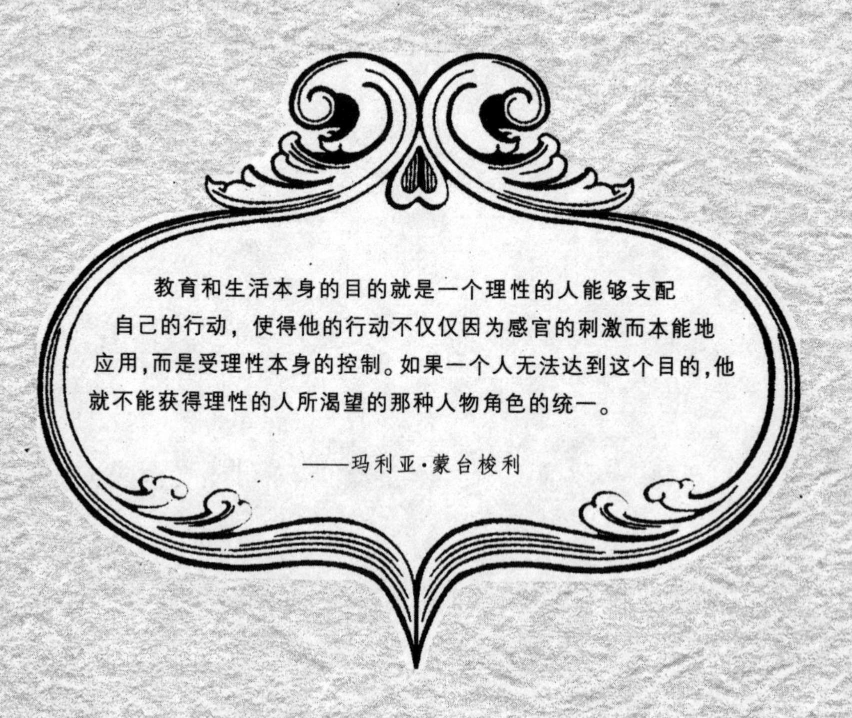

教育和生活本身的目的就是一个理性的人能够支配自己的行动，使得他的行动不仅仅因为感官的刺激而本能地应用，而是受理性本身的控制。如果一个人无法达到这个目的，他就不能获得理性的人所渴望的那种人物角色的统一。

——玛利亚·蒙台梭利

由于成人不知道儿童身体运动的重要性，他们就会在这方面加以阻挠，导致儿童的失调。

甚至科学家和教育家也没能注意到运动在人的发展中的重大作用。我们要问的是，如果“动物”这个词里包含了“活力”，或更简单地说，包含了“活动”的意思，如果植物和动物的区别在于前者扎根于土地上而后者可以到处活动的话，那么我们为什么想去制止儿童的活动呢？

成年人轻率地说：“儿童是植物，是花朵。”这意味着儿童应该“保持安静”，或者说儿童是“天使”。也就是说，如果他确实在到处活动的话，那么他并不在人世间存在。

所有这些想法，揭示了人们心里不可思议的盲目性。这比心理分析学家所认为的、存在于人们潜意识中的盲目性更可怕。这种盲目的程度之深，也许可以从这个事实中看出，即科学虽然能探索到潜意识的层面，但还不能揭示它。

所有人都承认感觉器官对智力发展的重要性。很明显，盲聋人在达到智力成熟方面将遇到极大困难，因为看和听实际上是心灵的窗口。虽然盲和聋能带来障碍，但与身体其他部分的健康完好并不发生冲突。然而，如果认为有意剥夺儿童的视听仍能使他获得高水准的文化和道德，就是荒谬可笑的。

尽管如此，要让人们接受身体活动与人的道德、智力发展具有重要作用这个思想，不是一件容易的事。如果一个正在发育中的儿童，不运用他的运动器官，他的发展就会受阻，与那些丧失了视力或听觉的人比起来，他更加举步维艰。

一个“失去肉体自由”的人将比盲人和聋哑人遭受更多、更深的痛苦。虽然盲聋人被剥夺了与环境沟通的手段，但经过一个适应的过程，他们其他感官的敏锐，至少可以弥补一些不足。另一方面，身体的活动与一个人的个性是密切相关的，没有一样东西可以代替它。一个人如果没有认识到这一点，就会对自己产生不利的影响。他还会背离生活，把自己逼进一个没有出路的深渊。他就会像亚当和夏娃那样永远成为一个流浪者。当亚当和夏娃被从天国逐出去之后，他们不得不满怀耻辱和悲哀地走进一个陌生的世界，经受数不清的困苦。

当我们讲到“肌肉”时，我们通常把它描述成人体器官。这种概念与我们所说的精神概念是对立的。精神无需物质成分，因而也没有任何机制。

当我们说，运动或身体的活动对心理的发展，要比视觉和听觉更重要时，大多数人都会觉得有些不可思议。然而，即使是我们的眼睛和耳朵也是根据物理的甚至是机械的规律来发挥作用的。眼睛一直被描绘成“充满活力的照相机”，当然，它的结构奇妙无比。耳朵也像一支乐队，拥有能振动的鼓和弦。

但是，当我们提到这些伟大的器官在心理发展中所起到的作用时，我们并不把它们看做是机械的装置，而是看做获得知识的工具。一个人通过这些奇妙和有活力的工具与世界相接触，并用这些工具来满足自己的心理需要。心灵需要不断地得到滋养，需要看到冉冉升起的红日或令人喜悦的艺术品，需要聆听悦耳的嗓音和乐器。每个人也将会对各种不同感官印象进行审美和判断。

如果没有人去欣赏这些各种各样的景色和声音，那么这些复杂的感觉器官还有什么用呢？看和听本身并不重要，但是它们却有更高的目的，那就是通过看和听，使一个人得到塑造和发展。

运动，即身体的活动也能产生同样的效果。这需要各种各样的器官，即使它们不像耳鼓或眼睛的晶体那样高度的专门化。教育和生活本身的目的就是一个理性的人能够支配自己的行动，使得他的行动不仅仅因为感官的刺激而本能地应用，而是受理性本身的控制。如果一个人无法达到这个目的，他就不能获得理性的人所渴望的那种人物角色的统一。

PART 17

爱的智慧

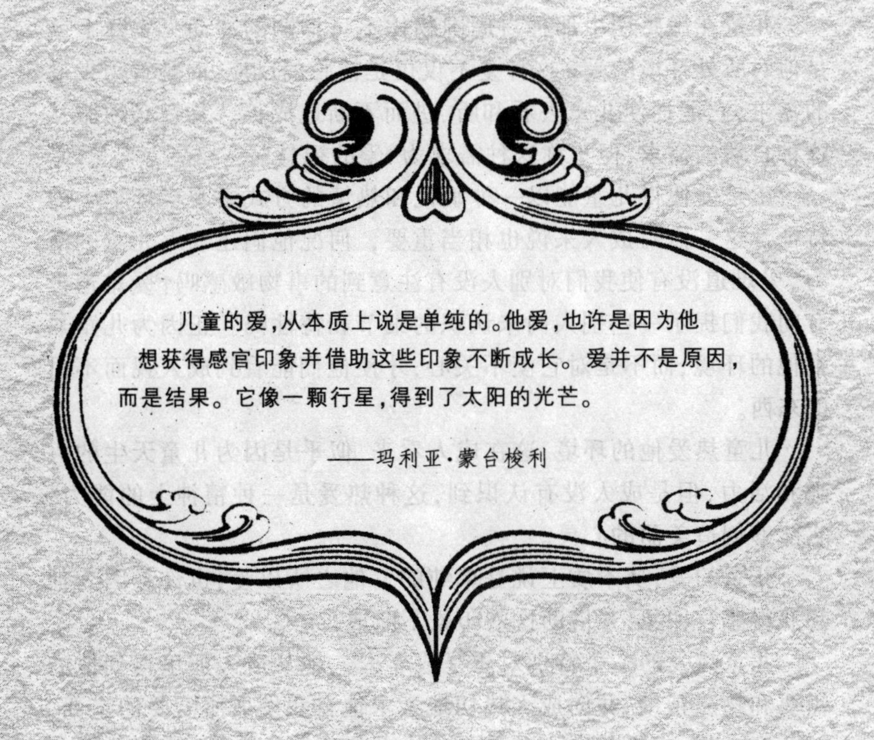
儿童的爱，从本质上说是单纯的。他爱，也许是因为他想获得感官印象并借助这些印象不断成长。爱并不是原因，而是结果。它像一颗行星，得到了太阳的光芒。
——玛利亚·蒙台梭利

PART 17

当人们按照自然规律完成各项工作并在生活中营造出和谐的氛围时，就会获得一种爱的感觉。也许我们可以说，这一定就是一个人的状况基本良好和身体健康的标志。

爱并不是原因，而是结果。它像一颗行星，得到了太阳的光芒。爱的动力就是本能，是生命的创造力，并在创造的过程中产生爱。儿童的心中充满了爱，并且他的自我实现也受到爱的影响。

儿童在敏感期中那种对周围物体不可抑制的冲动，实际上就是他对所处环境的爱。这种爱不仅仅是情感的反应，而是智力发展的需求，它能促使儿童去看和听，进而不断地成长。儿童必须服从这种自然的需求，但丁称这种需求为“爱的智慧”。

正是爱使得儿童能以一种敏锐和热情的方式去观察环境中的特征。这一点对成人来说也相当重要，何况他们还缺乏儿童的活力。爱难道没有使我们对别人没有注意到的事物敏感吗？爱难道没有向我们提示一些别人尚未认识的细节和特性吗？正因为儿童热爱他的环境，而不是对它漠不关心，才使他们能看到成人视而不见的东西。

儿童热爱他的环境，这在成人看来，似乎是因为儿童天生的兴趣和活力，但是成人没有认识到，这种热爱是一种精神上的能力，它能够创造美丽的心灵。

儿童的爱，从本质上说是单纯的。他之所以爱，也许是因为他想获得感官印象，并借助这些印象不断成长。

儿童热爱的一个特别对象是成年人。他从成人那里得到他的需要和物质帮助，并向成人热切地索求他自我发展所需要的东西。对儿童来说，成人是令人尊敬的。在儿童看来，成人的嘴唇仿佛是一个喷泉，儿童不断地从中学习用来说话的词汇。

成人用他的行动向儿童展示了人类的举止行为。儿童正是通过模仿他所接触的成人而学会该如何生活的。成人的一言一行都深深地吸引着儿童,并使他们着迷。儿童对成人是那么敏感,以至于成人在某种程度上支配着儿童的生活和行为。我们可以回忆一下儿童把他的鞋子放在床单上的过程,他的行动既体现了他天真的服从性,也表明了暗示对儿童的作用。一个成人对儿童所讲的话,就像用刀刻在大理石上的字一样,深深地印在儿童的脑海中。我们还能记起那位母亲接到装有手帕和喇叭的邮包时,她的小女儿所作出的反应。既然儿童如此渴求学习,并且热爱他周围的一切,成人就应该仔细斟酌他在儿童面前所讲的每一句话。

儿童乐于听成人的话,但是,当成人让他放弃那些对他成长有利的本能时,他就会反抗。成人为了自己的利益而让儿童做出牺牲,这种情况就像儿童长乳牙的时候,阻止乳牙长出来一样。儿童发脾气或反抗,只是因为儿童想发挥创造的欲望,而他所热爱的成年人却置之不理,由此儿童与成人之间产生了严重的冲突。当儿童不听话或发脾气时,成人应该想到这种冲突,把它看做是儿童成长中的必然,是儿童所做的一种无意识的自我保护。

我们应该记住,儿童爱我们并想服从我们,儿童爱我们胜过其他的一切。然而反过来,我们也经常听到这样的话:“那些父母是多么爱他们的孩子呀?”或者“那些老师是多么爱他们的学生呀?”

据说我们也在教孩子爱他们的父母、老师和有作为的人,甚至爱植物和动物。但是,究竟是谁教给他们爱所有一切的呢?谁在教一个人怎样去爱呢?难道是那些把他子女的所有表现都称作发脾气,并且只想他自己和他的财产免遭儿童侵犯的成年人吗?这样的成人无法教人如何去爱,因为他不具备我们所称的“爱的智慧”的敏感性。

相反,实际上是儿童在爱着成人。他感到需要成人在他身边,而且很高兴地引起人们对他的注意:“看着我!和我呆在一起!”

晚上,当成人想去睡觉时,儿童就会向他呼喊,因为儿童爱他,不愿看到他离开。当我们去吃饭时,一个正被喂奶的孩子也要一起去,这并不是因为他想吃东西,而只是因为他想留在我们身边,看着我们。成人却没意识到儿童对我们的深深的爱。但是我们应该记住,儿童在幼年时期对我们如此深沉的爱,当他长大后就会消失。

到那时谁还会像现在的这个孩子那样爱我们呢？谁还会在睡觉前呼喊我们，并充满深情地说："和我呆在一起！"相反那时他只会向我们不痛不痒地道声"晚安"。当我们吃饭时，谁还会仅仅为了看着我们而如此热切地希望和我们呆在一起呢？然而我们却因为不想接受这些爱而处处设防，我们应意识到我们将永远也无法找到另一种同样的爱了。我们甚至喋喋不休地说："我没时间！我不能！我忙！"然而在我们的意识深处却是："我必须改变儿童，不然的话，我终将成为他们的奴隶。"我们想摆脱儿童的纠缠，这样就可以做我们喜欢的事，如果摆脱了他们，我们就没什么不方便的了。

早晨，儿童进去唤醒他的父母，这对大人来说极为讨厌。但如果不是爱，还会有什么力量能促使儿童刚一醒来就去寻找他的父母呢？黎明的时候，当儿童早早地从床上爬起来，来到他还在熟睡的父母面前时，他似乎是想说："勤快一些吧，天已经亮了，是早晨了！"但是，儿童走到他父母跟前，并不是想说这些话来教育他的父母，而只是为了看一看他所爱的人。

也许父母的卧室仍然是暗的，门紧关着，以便黎明的阳光不会打扰他们的酣睡。儿童走过来并触摸他的父母，父母却抱怨说："我们已经跟你讲过多少次了，不要一大清早就来叫醒我们！"儿童是这样回答的："我没有叫醒你们，我只是想吻你们一下。"实际上他想说："我并不是想把你们从睡梦中叫醒，我只是想看看你们。"

是的，儿童的爱极为重要。父母对一切都麻木了，需要一个新人去唤醒他们，用他们不再拥有的生机和活力再次激励他们。父母需要一个与他们行动不一致的人，每天早晨对他们说："开始新的生活！学会更好的生活吧！"

是的，更好的生活！感受爱的气息！

没有儿童对他们的帮助，成人将会颓废。如果成人不努力超越自我，他的心理就会慢慢生出硬茧，最终变得麻木冷漠。我们想起了上帝最后的审判，当耶稣基督转向那些可恶的人，那些在人间从来没有用任何方法改变自我的人时，就责备他们说："离我远一些，你们这些可恶的人，因为我生病的时候，你们却不来照顾我。"

而他们会说："但是，主啊！我们并没看到你生病啊！"

"无论何时，你们所看到的贫困或患病的人就是我。给我走开，你们这些可恶的人，因为当我身陷囹圄的时候，你们却不来看我。”

“但是，主啊！你什么时候进过监狱呢？”

“每一个身陷囹圄的人都是我。”

《福音书》上这富有戏剧性的一幕证明了这样一个事实：成人应该安慰耶稣的化身，即那些贫穷、被非难的和正在受苦的人。如果我们把这个激动人心的场面用在儿童身上，就会发现，耶稣基督似乎也是儿童的化身。

“我爱你们。早晨我来唤醒你们，你们却拒绝我！”

“但是，主啊！什么时候你在早晨来唤醒我们，而我们又拒绝了你呢？”

“当你的小孩来叫你们时，他就是我。当他恳求你们不要离开他时，他就是我！”

愚蠢的人！是耶稣基督来唤醒我们，并教我们爱！但我们却认为，这仅仅是儿童的任性，从而失掉了我们的爱心。

PART 18

儿童的教育

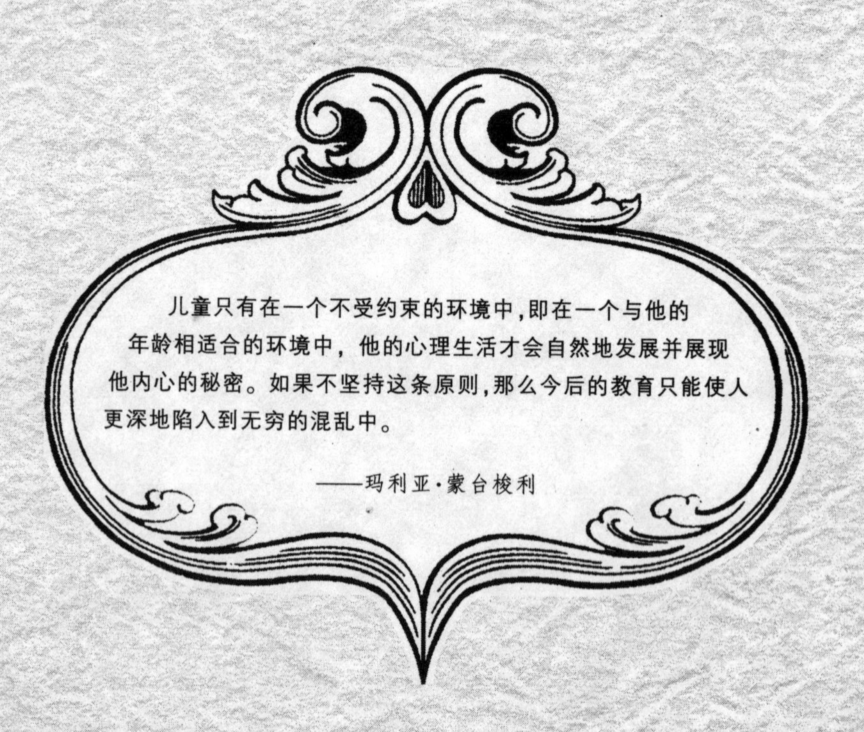

儿童只有在一个不受约束的环境中,即在一个与他的年龄相适合的环境中，他的心理生活才会自然地发展并展现他内心的秘密。如果不坚持这条原则,那么今后的教育只能使人更深地陷入到无穷的混乱中。

——玛利亚·蒙台梭利

我们必须认识到一个重要的现实：儿童拥有心理生活，这种心理的表现很微妙，所以没有引起注意。成人也会无意识地破坏儿童的活动方式。

成人的环境对儿童来说并不合适，而是一些使儿童不得不多加小心的障碍。这种环境会使儿童变得乖戾，使他们容易受到成人的暗示。儿童心理学和儿童教育都是从成人的角度，而不是从儿童的角度来研究的，因此，它们的结论必须从根本上重新审查。正如我们所看到的，儿童每个不同寻常的反应都给我们提出了一个有待解决的问题。他每次发脾气，都是某种根深蒂固的冲突的外在表现。这种冲突不应简单地解释为对不益于健康的环境的自我防御，而应该理解为一种寻求自我表现的更壮观的示威举动。发脾气就像一场暴风雨，它使儿童的心灵无法从隐藏处显露出来，无法向别人展示本我。

很明显，所有这些伪装都把儿童的真实心灵隐藏起来了。任性、挣扎和心理扭曲的表现掩盖了儿童自我实现的努力，使他不能展示真正的个性。在这些令人不安的外在表现背后，肯定包含着这个儿童的早期心理发展进程。这一进程有着明确的发展计划，这些外在表现的背后，还隐藏着没有被认识的儿童秘密，他们必须获得解放。教育所面临的最紧迫任务就是去了解尚未被认识的儿童，并把他们从所有的樊篱中解救出来。

对成人进行的心理分析和对尚未被认识的儿童的心理研究之间，有一个根本区别。其区别在于，成人潜意识的秘密是某种自我约束的东西，而儿童的秘密则在于他所处的环境，所以，要帮助一个成人，我们就必须帮他解除在漫长的时期中形成的复杂的适应障碍。而要帮助一个儿童，我们就必须给他提供一个能使他自由发展的环境。儿童正处于自我实现的阶段，我们为他大开方便之门是很容易的。事实上,儿童正在创造自我,也就是正处在从不存在到存在,从潜能到实现的过程中。处于这一时期的儿童并不复杂,因为儿童拥有与日俱增的能力,他在展示自我时就不会有很大的困难。

儿童只有在一个不受约束的环境中,即在一个与他的年龄相适合的环境中,他的心理生活才会自然地发展并展现他内心的秘密。如果不坚持这条原则,今后的教育就只能使人更深地陷入到无穷的混乱中。

新型教育的基本目的就是认识并解放儿童,与之相关的首要问题就是儿童如何幸福地生活。其次,是在他日趋成熟时,给他提供必不可少的帮助。这意味着必须有适合儿童成长的环境,环境中不利于儿童成长的障碍必须减少到最低限度,这个环境还必须为发展儿童的能力提供锻炼活动的场所。由于成人也是儿童环境的一部分,他们也应该使自己适应儿童的需要。他们不应该是儿童独立活动的阻碍,也不应该代替儿童去做那些能使儿童迈向成熟的事情。在我们的教育体系中,最大的特点就是强调环境的重要性。

在我们的学校中,教师的作用是值得关注和探讨的,我们要求教师扫除那些由于他自己的活动和权威带给儿童的障碍物。这样,儿童自己就变得主动、活跃起来。教师也能高兴地看到儿童可以自由活动,并取得了进步。教师本身并没有增加什么,他们可能是受了施洗者圣约翰的鼓励:“他必须增加,而我必须减少。”

我们的教育体系还有一个特征就是,对儿童人格个性的尊重,并把这个重要性提到前所未有的高度。

这三条原则在最早以“儿童之家”而闻名的机构中得到了充分实行。“儿童之家”这个名称带有家庭的含义。

人们广泛地讨论这个新的教育体系,特别关注到儿童与成人角色的颠倒——教师没有桌子,没有权威,几乎没有教学,而儿童是活动的中心,可以自由地到处走动,去做他喜欢的事。有些人认为这是一种乌托邦,还有一些人认为这不过是夸大其辞。

但另一方面,还有一些革新措施也得到了赞同并被接受:一些适合儿童使用的东西,如明亮的教室、装饰着花朵的小窗子、模仿现代家庭家具而做的微缩家具、小桌子、小扶手椅、漂亮的窗帘、儿童可以很容易打开的小橱柜以及小橱柜里面可以随意使用的各种物品。所有这些东西可以看做是实际的改进,并且促进了儿童的发展。我相信,有更多的儿童之家会设法保持这些能给人带来愉悦和方便的特色,并把它作为儿童之家的一个主要特征。

现在,经过对这些事物的深入研究和大量实验之后,再次对此进行考察,尤其是对其起源作考察可能,是很有价值的。

有人认为对儿童做实际的观察,会使我们得出一些惊人的结论,即儿童拥有一种神秘的本性。这个直觉会使我们构想出一种特殊的学校和教育体系。其实这种想法是错误的。对某种仍然未知的东西进行观察是不可能的。一个人只通过一种简单的直觉就认为儿童拥有两种本性,并企图用实验来加以验证,这也是不可能的。尚未被认识的东西应该通过某种方法让它自己表现出来。当它表现出来时,也不应有人比最早发现它的人更加对此表示怀疑。这就如同世上其他事物一样,一个人会拒绝新的事物,但这个迄今不为人知的事物会不断地把自己强加于他,直到他最终理解,承认并满腔热情地接受它。那些被新的事物震惊并最终接受它的人,会深深地为它着迷,甚至会愿意为它奉献毕生的精力。他的激情如此巨大,以至于他认为自己就是这个新事物的创造者,尽管实际上他只不过是对这个事物的表现比别人更敏感罢了。对我们来说,发现新事物是困难的,而更困难的是使我们自己相信这个新事物是真实的,因为在新事物面前我们感觉的大门是关闭的。然而当我们发现了新事物,并确认了它的真实性后,就会变得像《福音书》中那个寻宝的商人,即当我们找到一个无价的珍宝时,为了能买下它,我们愿意用自己拥有的一切去交换。

我们的智慧之门,可以比作一个贵族的画室。这个房间对陌生人是不开的。如果要进去,他必须由另一个熟悉这个画室的人领进去。因此,如果没有人介绍,他只好砸坏紧闭的大门或偷偷地溜进去。当他最终进入这个房间后,就会成为轰动一时的新闻人物。一件琐碎的小事,有时会开辟一个新的和无止境的领域。从本质上说,人是一个探索者,只有通过发现那些看起来似乎没有意义的细节才能不断前进。

在物理学和医学上,对于新发现的鉴定有严格的标准。在这些领域中的新发现,是证明了一个以前没有被认识的现象,而这个现象以前没有人怀疑过。这种现象是客观的,并不依赖人的直觉。在验证这一现象时,有两个步骤:首先,必须把它从其他现象中分离出来,并在不同的条件下进行研究;其次,它必须能再现,并从不同的角度进行研究,以确定它不是一种幻觉,而是一种具有真实价值的有形资产。

我们方法的起源

下面对我们教育体系起源的描述,来自于我当时所作的笔记。

《你是谁?》

我们的第一所儿童之家招收3~6岁的幼儿,它创立于1907年1月6日。当时,我们还没有建立专门的教育体系。除了50多名极端贫穷,衣衫褴褛和显得很胆怯的儿童之外,我一无所有,其中还有不少儿童在流泪。把孩子委托给我照料的父母几乎都是文盲。

他们在这些儿童生活的公寓里,找出一个房间,请我来照管这个收容所。这样这些儿童就不至于在楼梯上放任自流,把公寓的墙弄脏,而给人找麻烦。

虽然说不清究竟是为什么,但我却感到一项伟大的工作即将开始,并且会获得成功。这一天是主显节,在宴会上,弥撒和祈祷的主题听起来像一种预言:"地球完全被黑暗所笼罩,这时在东方出现了星星,它们的光辉将成为人们行动的指南。"

那些出席开幕典礼的人看起来有些惊讶,好像在问自己:"蒙台梭利小姐为什么要为穷人提供一个这么好的收容所呢?"

我开始了工作,我就像个农夫,虽然拒绝了好种子,却得到了一块肥沃的土地来耕种。结果也出人意料。我挖开泥土,发现的不是粮食而是金子:这些泥土中有珍贵的宝藏。我就像手持神灯的阿拉丁,却并不知道这就是打开宝藏的钥匙。至少,我为这些儿童所做的工作给我带来了一连串的惊叹。

我为这些智力不太健全的儿童做了大量的工作，用各种各样的东西教他们，并取得了良好的效果。这就有理由推测，那些用来帮助智力不健全的儿童并取得了成功的方法和纠正了他们思维方式的手段，对那些智力正常的儿童也会有帮助。基于这些经验，我精心拟定了一些心理卫生原则，并尽可能令人信服地应用到其他人身上。但是，这并没有改变一个事实，即这些方法和手段最初应用在正常儿童身上时所产生的效果，令我非常吃惊，并使我不敢相信。

这些物体用于正常儿童所产生的效果，不同于用于智力不健全的儿童。当一个正常儿童被一个物体吸引时，他把全部注意力都集中在这个物体上，始终以高度集中的精力不停地工作。当他完成工作后，会显得很满意、轻松和高兴。我第一次看到这种轻松和满足感，是在那些平静的小脸蛋上和因为完成了自己喜欢的工作而感到满足的眼神中。我给儿童的物体，就像一把给闹钟上弦的钥匙，但又有所不同。当闹钟的弦上紧之后，它就会自己不停地运转了，而儿童得到一件物品之后，不仅会不停地用它来工作，而且他在使用过程中所付出的努力会使他比以前更强壮、更健康。要我相信这些不是幻觉，也需要时间来证明。在每一次新的试验证明情况确实如此之后，我还在相当长的一段时间里不敢相信这是真的，但同时我也感到十分震惊和惊讶。有好多次，当一位教师告诉我儿童正在专心致志地做事时，我就会责备她。我总是严肃地说："不要来跟我讲这种幻觉"，我记得，她并不生气，并总是热泪盈眶地回答说："你是对的，当我看到他们那么专心致志时，就会想，一定是有天使在激励着这些孩子。"

有一天当我满怀尊敬和热爱地看着这些儿童时，我把手放在我的胸前问："你是谁？"这些儿童也许就是耶稣怀里的孩子，耶稣曾经说："无论是谁，只要他因我而接受了这个孩子，也就是接受了我，"他又说："无论谁不像儿童一样承认天国的存在，他就不能进入天国。"这就是我去看他们时的情况。这些孩子泪眼汪汪，好像受了惊吓，他们是如此胆怯，使得我无法与他们说话。他们的脸上毫无表情，眼睛显得很迷惘，好像他们的生活中一无所有，他们从来就没看见过什么东西。事实上，他们是贫困的、备受冷落的儿童，这些儿童在阴暗、破旧的房子中生活，没有什么东西能激发他们的心灵。任何人都能看出来，他们营养不良，需要新鲜的空气和阳光。他们就像注定无法绽放的花蕾。

究竟是怎样特殊的环境使他们发生了后来惊人的转变呢？是什么给了他们新的生命，并使这种新生命的光辉普照到整个世界呢？

很明显，这些儿童成长中的障碍已经被扫除，并且已经找到了使他们心灵获得自由的方法。但是，谁能够想出这些障碍是什么？或者谁能够猜出需要什么东西才能促使他们发芽并开花呢？通常，这是一些看起来似乎能产生相反效果的东西。

我们可以从这些儿童的家庭背景说起。他们的父母属于社会的最底层。这些人几乎都是文盲。他们没有固定的职业，每天不得不出去找工作。因此，他们既没有时间也无能力照料好自己的孩子。

很显然，照顾这样的小孩是没什么希望的。因为不可能给这些孩子找到受过培训的教师，所以就雇了一位年轻的劳动妇女来照料他们。这位妇女曾经想当一名教师，但后来放弃了，所以她既没有接受过教育也没有什么反感，不然的话，她会感到厌倦的。要考虑的另一个因素是，我们的第一所学校是一家私立机构。它的资助者是一家房产公司，这家公司把这笔开销算在了间接维修房屋的账上。公司出钱把儿童聚在一起，纯粹是为了避免公寓大楼的墙壁受到破坏，这样就可以减少维修房屋的费用。这并不能算是真正的社会福利工作，因为他们从没想过为这些孩子提供免费的午餐，为生病的儿童提供医疗保护之类的东西。这家房产公司提供的资金仅够设置一个带家具和一些其他设施的办公室。这就是为什么一开始我们不得不自备课桌椅而不能买一般学校所用的桌子的原因。如果不是这样一种环境，我们也就无法分析和论证促使这些儿童转变的各种心理因素了。

因此，第一所儿童之家很大程度上并不是一所标准的学校，还无法判断它的价值。由于我们的资金如此有限，使得儿童和教师都没有桌子，也没有在一些普遍学校里常见的设备。这个房间配置的设施，使它看起来像个家或办公室。尽管周围的东西是如此简单，它确实有一些特别的设施，它们看起来像一些我曾在一所弱智儿童机构里用过的设施，无论如何，可以肯定这些东西不能归入学校的设施之列。第一所“儿童之家”并不像我们今天所看到的“儿童之家”那样明亮和令人愉快。房子里仅有一张牢固的桌子，或多或少可以用来做教师的桌子。还有一只很大的柜子，用来存放各种物品。这只柜子的门十分结实，用锁头锁着，钥匙由教师保管。儿童的桌子造得结实耐用，它们就像学校里的桌子一样，一张挨着一张，这些桌子的长度足以使3个儿童并排坐下。除了儿童坐的长条凳以外，每个儿童还有一把普通的小扶手椅。院子中虽然栽种植物，但除了一小片草坪和树木之外一无所有。所以，不种植花卉，一直到后来都成为我们学校的特征。我并不幻想在这样的一所学校里做任何重要的实验。然而，我开始着手训练这些儿童的感官，以了解他们的反应与我曾接触过的弱智儿童的反应有何不同。我特别感兴趣的是，年龄小的正常儿童与年龄较大的智力有缺陷的儿童之间是否存在某些差异。

我没有对这个教师作任何限制，也没有给她布置任何特殊的任务。我只是教她如何运用各种物体来训练儿童的感官，这样，她就可以教儿童如何去使用。她渐渐对这些感官材料很感兴趣，而我也没有阻止她发挥自己的创新精神。

过了一段时间，我发现这个教师自制了一些其他的物品供这些孩子使用，其中有精美的金十字。她是用纸来做这些小东西的，并把它作为奖品发给那些表现好的孩子。我经常发现一些孩子戴着这些没有坏处的奖章。她还创造性地教孩子如何行军礼。行礼时，一只手放在胸前，另一只手碰前额。她似乎很高兴看到孩子们会敬礼，我也发现这些既使孩子们感到快乐又是没有坏处的，因为这些孩子最大的才5岁。

于是，就在这样的环境中，我们与这些孩子开始了平静并且不为外人所知的生活。在很长的一段时间里，没有一个人注意到我们正在做什么。无论如何，总结这个时期的主要活动可能是有益处的。我自己所参与的工作可能是缺乏科学性的，所发生的事情也可能是没有意义的。不过，我也正在进行一些重要的观察并得出正确的结论。

PART 19

观察与发现

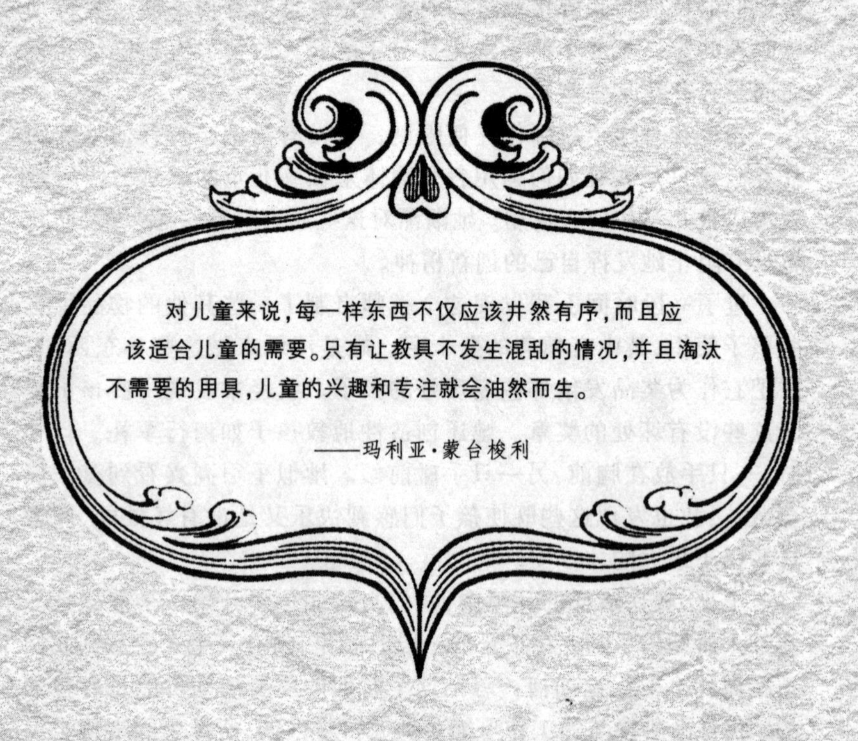

对儿童来说，每一样东西不仅应该井然有序，而且应该适合儿童的需要。只有让教具不发生混乱的情况，并且淘汰不需要的用具，儿童的兴趣和专注就会油然而生。

——玛利亚·蒙台梭利

重复练习

有一件事引起了我的特别注意。一个大约3岁的小女孩,不停地把一些圆柱体放进不同的容器中,然后又把它们取出来。这些圆柱体大小不同,正好可以放进那些容器相应的孔里,就像用软木塞盖住瓶子一样。我惊讶地发现,这个小孩子能如此兴致勃勃地一遍又一遍地做着这项练习。她并没有表现出想加快速度或提高敏捷度的想法。这只是一种不断重复的运动。我出于一种习惯,开始数她重复这项练习的次数。同时,我还想看看她在做这种奇怪的工作时,到底能专心到什么程度。我要求教师让其他小孩唱歌并到处走动,但这丝毫没有干扰她的工作。当我抬起她坐的小椅子时,她一把抓起她正在操作的物体,并把它们放在她的膝盖上,继续做同样的工作。这时,我开始计数,她一共重复这项练习达42遍。然后她停下来,好像刚从梦中醒来似的,并愉快地微笑着。她的眼睛炯炯有神,环顾四周。她甚至没有发觉我们曾干扰过她。后来,也没有发觉有什么明显的原因,她停止了这项工作。但是她到底在做什么呢,为什么要这样做呢?

这促使我们第一次去洞察儿童那尚未被探索的心灵深处。我们发现,这个小女孩正处于注意力不能持久的年龄,一般认为,这个时期孩子的注意力会不停地从一件事转移到另一件事。然而,她却如此专注地做一件事,以至于感觉不到外界的刺激。当她把不同的物体恰当地插到一起时,她的手也随之做着有节奏的运动。

类似的情况不断出现。每当儿童经历了这种体验之后,他们就像刚刚休息过一样,充满了活力,仿佛感到了某种极大的快乐。

尽管儿童专注某事到浑然忘我的情况并不多见，但我还是发现了一种所有孩子都具有的奇怪行为，而且这种行为几乎在他们所有的活动中都会不断地表现出来。这就是我后来所称的“重复练习”现象。

有一天，我发现他们正在工作的小手很脏，我想应该教他们一件有益的事——如何洗手。我发现，这些孩子虽然已经把手洗干净了，他们还在不停地洗，而当他们离开学校时，还会再洗一遍。有些母亲告诉我，早晨的时候，她们发现自己的小孩在洗手间洗手。有些小孩甚至会自豪地伸出干净的小手给人看，这让大人以为他们是想要东西吃。他们一次又一次地重复练习，却没有任何外在的原因。我们在其他的活动中也发现了这一现象。一项练习越是被教得仔细，甚至细致到每个细节，儿童越会去不断地重复这个练习。

自由选择

我还看到另一个十分简单的事实。儿童使用的这些物品都是由这位教师分发给他们的，用完之后再由他把这些东西放回原处。这位教师告诉我，每当她收回这些物品时，孩子们就从座位上站起来，走到她的面前。不管她曾多少次打发他们回到自己的座位上，这些儿童还是会走到她面前。因此，她认为这些儿童不听她的话。

我观察了这些儿童，意识到了他们是想把物品放回它们原来所在的位置。我允许他们这样做，而这使他们开始了一种新的生活。他们对有秩序地摆放物品非常着迷，并且会把物品排列得十分整齐。如果一个孩子摔坏了一只玻璃杯，其他的孩子就会跑过去拾起玻璃片，并把地板打扫干净。

有一天，这位教师打翻了一只盒子，里面装着 80 种颜色渐次变化的小方块。我记得当时她很窘迫，因为要把这么多颜色不同的小方块排列起来是很难的。这时，孩子们跑来了，让我惊讶的是，他们迅速地把小方块按正确的色彩顺序排列起来，并在这方面表现出了远胜于成人的敏感性。

有一天，这位教师到校迟了一会儿，事先她又忘了锁柜子。当她到教室后发现，孩子们已经把橱柜门打开了。许多孩子围着它，还有些孩子正取出教具，并把它们拿走。这位教师把这看做是一种偷窃行为，并认为他们之所以偷窃是因为对学校和老师的不尊重，应该严肃处理这件事，还通过讲一些道德原则来引导他们。相反，我把这件事看做是一种标志，即表明儿童现在已充分认识了这些教具，并且已经能自己做出选择了。后来的情况证明确实如此。

这使儿童开始了一种新的、有趣的活动。现在，他们可以根据自己特殊的爱好来选择不同的工作了。从这时起，我们做了较矮的橱柜，以便儿童能拿到与他内心需要相符合的教具。因此，“重复练习”的原则又加上了“自由选择”的原则。

儿童所做的自由选择，使我们能看到他们心理的需要和倾向。第一个最有趣的发现是，这些儿童只选择我们给他们提供的教具的一部分，而不是选择所有的教具。他们总是去选择一些同样的东西和一些自己偏爱的东西，他们很少去留意其他的东西，这使那些东西上落满了灰尘。

我常把所有的教具都拿给儿童看，并让教师分给他们，然后再讲解如何使用这些东西，但儿童不会去主动使用某些东西。

于是我意识到，对儿童来说，每一样东西不仅应该物放有序，而且应该适合儿童的需要。只要让教具不发生混乱的情况，并且淘汰不需要的用具，儿童的兴趣和专注就会油然而生。

玩具

在我们的第一所学校里，尽管儿童能玩到十分精美的玩具，但没有人愿意去玩，这使我惊讶万分。我决心帮助他们玩这些玩具。我向他们演示如何拿小碟子，如何在玩具娃娃的厨房里点火，并且在它附近放一个美丽的玩具娃娃。儿童的兴趣只持续了一会儿，然后就各自走开了。由于他们从来没有主动地选择过这类玩具，这使我认识到，在儿童的生活中，游戏也许只占很小的分量，他们是由于没有更好的事情做才去玩的。当儿童感到有更重要的事去做时，他是不会去做那些他认为是琐碎的活动的。在他看来，做游戏就像下象棋或是打桥牌，只是闲暇时的一种快乐消遣。如果强迫他们长时间地做游戏，他们就会感到痛苦。当他们有重要的事要做时，就会忘掉打桥牌。由于儿童手头总是有重要的事做，他也就不会对游戏特别感兴趣了。

儿童正不断地从较低的阶段向较高的阶段迈进，他的每一分钟都是宝贵的。由于儿童在不断地成长，他就会对所有有益于他发展的活动着迷，而对那些悠闲的工作不感兴趣。

奖励与惩罚

有一次我去学校，看到一个儿童独自坐在教室中央的一把椅子上，他就呆在那儿，什么也没做。他的胸前戴着一枚奖章，那是老师给表现好的儿童的奖励。然而，这位教师告诉我，这个小家伙正在受惩罚。原来是另一个儿童得到了这枚奖章，一开始把它别在胸前，后来又把它送给了这个正在受罚的儿童。好像奖章根本没用，并且妨碍了他的工作似的。

坐在椅子上的儿童，毫不在意地看了奖章一眼，然后就安静地环顾教室，没有一点羞耻感。仅仅是这件事，就使我们认识到了奖励和惩罚的无效。但我们还应该进一步地做更细致的观察。长期的观察恰好证明了我们最初的直觉。这位老师已经到了再也不愿意去奖惩儿童的地步了，因为儿童根本就不在乎她的奖励和惩罚。更令我们惊讶的是，儿童经常拒绝奖励，这表明儿童对奖惩这种威严的意识还没有觉醒。从此，我们就不再对儿童奖励或惩罚了。

安静

一天，我从一位母亲的怀里抱过来一个只有4个月大的女婴，然后走进教室。她的母亲就站在院子里。这个婴儿紧紧地裹在襁褓里，这是附近地区非常盛行的风俗。她的脸蛋儿丰满而红润。她是如此安静，这种安静深深地打动了我。我也想让这些儿童与我分享这种感受。我对他们说："她不做声。"然后又开玩笑地补充道："你们谁也不能像她那样安静。"使我极为惊讶的是，这些儿童正在以一种与不同于以往的神情使劲儿地盯着我。他们似乎在专心地听我说话，渴望领悟我话里的含义。"注意！"我继续说，"她的呼吸多么柔和。你们谁也不能像她那样平静地呼吸。"这些感到惊奇的儿童开始一动不动地屏住呼吸了。这时出现了一种令人感动的安静，甚至能够听到平时很难听到的钟表嘀嗒声，好像这个小女孩把平时从没有过的安静氛围带进了教室。

没有一个人做出能感觉到的动作。他们都在专心致志地体验着这种安静，并在脑海中把它再现。所有的儿童都参与了这项活动。这并不是出于一种激情，因为激情意味着一种冲动和外在表现的东西，而是出于一种内心深处的愿望。所有儿童都十分安静地坐着，尽可能平静地呼吸着，脸上露出一种像沉思者那样宁静和专注的神态。在这令人感动的安静中，渐渐地，我们都好像听到了极轻微的声音，如同远处的滴水和鸟鸣声。

这就是我们"安静练习"的由来。

有一天，我想可以用这种安静来检验儿童的听力是否灵敏。在不远处，我开始低声地叫他们的名字。无论谁听到他们的名字就应该走到我的面前，走的时候不要发出任何声响。我认为这种耐心等待的练习对儿童来说是个磨炼，所以我带来了糖和巧克力，准备当他走到我面前的时候奖给他。但他们却拒绝拿糖，仿佛在说："不要破坏这种美好的体验。我们的心一直是喜悦的。不要分散我们的心思。"

我这才发现,儿童不仅对安静敏感,而且对叫他们的声音也很敏感。即使这种声音在安静的环境中几乎很难听到,他们也会踮起脚尖,慢慢地走过来,并且小心谨慎地不碰撞任何东西,以免发出声音。

后来,我又认识到,每一项包含纠错活动的练习,就如以安静来制止噪音的练习,对儿童来说都是极有帮助的。重复这种练习,能使儿童的行为趋向完美,而这仅仅通过言教是很难有效的。

我们的儿童通过学习如何绕过各种物体而不撞倒它们,通过学习如何轻捷地跑步又不发出声响,而使他们变得敏捷和机灵了。他们为自己能毫无差错地完成这些动作而感到高兴。他们兴趣盎然地发现自己的潜力,并在他们的生命力不断展现的神秘世界中锻炼自己。

我花了很长时间才使自己相信,在儿童拒绝糖果的背后有一个内在的原因。众所周知,儿童喜欢吃糖果,所以当儿童拒绝它们时使我觉得很奇怪,于是我决定作进一步的试验。我随身带着糖果到学校去,但这些儿童拒绝接受或把糖果放进衣服的口袋里。因为他们都很穷,我想他们可能是想把糖果带回家去,我对他们说:“我刚才给你们的糖果你们可以带回家去,但剩下的糖果是给你们吃的。”他们接受了糖果,但却又放进口袋而没有吃。然而后来,当一个小孩生病了,他的教师去看望他时才发现,这些儿童是珍惜赠给他们的糖果的。这个小男孩因为感谢老师的来访,打开了一个小盒子,从里面取出一大块他在学校里得到的糖果给老师吃。这块诱人的糖果已经存放在小盒子里好几个星期了,而这个孩子却一直没有碰它,类似的事情在我们的孩子中经常发生。

后来,有许多人专门为了证实这一情况而访问我校,因为他们来之前曾经在不同的书中读到过这种情况。我们认为,这是儿童内在自发的和自然的发展。没有一个人会教他们当苦行僧和放弃糖果,或者不切实际地对他们说:“儿童既不应该玩耍也不应该吃糖果。”当儿童在心灵中升华时,会自愿拒绝这些没用的、外在的乐趣。一天,有个人给他们一些烤成几何形状的小甜点。这些儿童没有吃,而是目不转睛地注视着它们说:“这是一个圆!这是一个长方形!”

有一则幽默故事讲的是一个贫穷家庭的小孩，注视着在厨房里的母亲。当她母亲拿起一块黄油时，小孩说："这是一个长方形！"当她母亲切下来一个角时，小孩说："现在你有一个三角形，"然后又补充道："剩下来的是个梯形。"而他却一直没有说人们期待他说的话："给我一些面包和黄油。"

尊严

有一天，我决定给这些孩子上一堂有点幽默感的课：怎样擤鼻涕。我给他们示范了使用手帕的各种方法，还告诉他们如何做得不引人注目。我以他们不容易察觉的方式拿出手帕，并尽可能轻地擤鼻子。这些孩子全神贯注地看着我，没有一个笑出来，我还觉得有些奇怪，他们为什么不笑呢？但是，当我一结束示范，他们就开始热烈地鼓掌，他们的掌声就像剧院中的掌声那样长久、热烈。我还从没听过这么小的手能拍出如此响的声音，我也没想到这么小的孩子会有如此热烈的鼓掌。接着我明白了，也许我触及到了这些小家伙们有限的社交中的敏感点。儿童在擤鼻子方面特别困难。由于他们经常为此而屡屡遭人责备，所以他们在这一点上十分敏感。他听到的叫嚷和辱骂的语言强烈地刺伤了他们的感情。更让他们觉得难堪的是，在学校里穿戴整齐后，还要把手帕别在惹人注目的围兜儿上，以免丢失手帕。但没有一个人真正教他们怎样擤鼻涕。当我这样做的时候，他们感到从前受的羞辱得到了补偿。他们的鼓掌就表明，我不仅公正地对待他们，而且使他们取得了新的社会地位。

长期的经验告诉我，这件事确实像我理解的那样。我逐渐意识到，儿童有一种强烈的个人尊严感。通常，由于成人没有意识到这些，使儿童很容易受到伤害和遭到压抑。

就在我给他们上课的那一天，当我要离开学校的时候，这些儿童开始喊起来："谢谢你，谢谢你上的这一课！"当我离开大楼时，后面跟着一支静悄悄的队伍，直到最后我对他们说："你们回去吧，踮着脚尖跑，小心不要撞到墙角。"他们转过身，飞一般地在门后消失了。

当参观者来到学校时,这些儿童表现得自尊、自重。他们知道如何热情地接待这些来访者,并向他们演示他们是如何完成工作的。

曾经有一次,有人预先通知我们,有一个重要的人物要单独跟这些儿童在一起,以便能够亲自观察他们。我告诉那位教师说:“顺其自然吧。”然后我又对儿童说:“明天将有一位客人来看你们,我希望他会认为你们是世界上最好的儿童。”后来我问教师这次访问进行得如何。她回答说:“取得了巨大的成功。有些儿童给这位客人拿来了椅子,并礼貌地说‘请坐’,其他的儿童说‘你好’”。当他离开的时候,他们把身子探出窗外喊道:“谢谢你的来访,再见!”我问:“你为什么要教他们这样做呢?我告诉过你不要做任何特殊的事,只要让孩子们按自己的意愿行动即可。”她回答说:“但是我没有要求他们做任何事。”然后她继续说,儿童们比平时更勤奋地做着各种工作。所有的事都做得很出色,令这位来访者惊叹不已,大受启发。

有时我也怀疑这位教师对我说的话。我担心她也许给了儿童特殊的指导,于是我又问起这件事。但最终我领悟到,这些儿童已经有了他们自己的尊严感。他们尊重他们的客人,他们对能向客人展示他们力所能及的事情感到自豪。我不是跟他们讲过:“我希望客人会认为你们是世界上最好的儿童”吗?但是可以肯定,并不是我的劝告使他们这样去做的。无论何时我告诉他们,“要有客人来访问你们”,这就好像宣布了客人已经到了会客厅。这些镇定自若的孩子们浑身充满了魅力和自信,他们总是乐于接待来访者。他们再也没有过去的那种羞怯。现在他们的心灵与他们所处的环境之间再也没有障碍了。他们的生命自然展现,就像莲花伸出白色的花瓣沐浴太阳的光辉,同时散发出阵阵花香一样。重要的是,孩子们发现他们成长的道路上没有了障碍。他们无需躲藏,无需害怕,无需回避。事情就那么简单,他们的镇定自若可能归功于他们能迅速地、极好地适应他们的环境。

这些儿童是机灵的、活泼的,还总是那样镇定自若。他们身上时时散发出精神的暖流,能够使与他们接触过的成人从心底里感到振奋。许多人为了体验这种感觉来访问他们。所有的访问者都体会到了这种感动。

观察这些来访者的反应非常有趣。妇女们衣着优雅并饰以珠宝。她们似乎是去参加一个招待会,以便能听到天真纯洁的儿童的赞美。她们还十分喜欢看到儿童表现出好奇时的样子。

孩子们摩挲着女士们华丽的衣服,并抚摸她们芳香柔软的手。有一次,一个儿童走到一位正服丧的女士面前,用他的小脑袋倚着她,然后拉起她的一只手,并用自己的双手握住了那位女士的手。这位女士后来深情地说, 没有一个人能像这个孩子那样给了她如此多的安慰。

有一天,总理的女儿陪着阿根廷共和国大使来参观儿童之家。这位大使曾提出,不要事先通知他要来访问,这样就可以验证他经常耳闻的这些孩子具有自发性是否属实。然而,当他们一行到达学校时,才知道那天是假日,学校不开门。当时在院子里的一些孩子走上前来,其中一个孩子十分自然地解释道:“今天是假日,但没关系,我们都在这幢楼里,门卫有钥匙。”于是,这些儿童跑到各处去叫他们的小伙伴。教室的门打开了,他们都动手工作起来。他们奇迹般的自发性行为无疑再次得到了证实。

这些儿童的母亲对所发生的一切赞叹不已, 并跑来告诉我在她们家里所发生的事。她们坦白地说:“这些三、四岁的小孩,如果不是我们自己的小孩,他们说的话会令我们恼火的。例如他们说:‘你的手多脏, 应该洗洗了。或者你应该把衣服上的脏东西洗干净。’当我们听到他们说这样的话时,并不生气。我们仿佛是在梦中听到了他们的告诫。”

事实上,这些贫穷的人开始变得清洁、整齐了。窗台上的破水壶、破罐子不见了,窗玻璃干净得在阳光底下闪闪发光,院子对面的窗口上,天竺葵也开始怒放了。

纪律

尽管儿童的举止活动有较大的自由，但他们总体上给人的印象是非常有纪律的。他们安静地工作,每个人都对自己的工作十分专注。当他们去拿或去换他们所用的物品时,都安静地走去走回。或许他们会离开教室,张望一下院子,然后再回来。他们执行教师的吩咐时,动作快得惊人。这位教师告诉我:“他们准确无误地照我的话去做,这使我感到应该对自己说的每一句话都负责。”

事实上,如果她要求这些儿童进行安静练习,那么在她说完要求之前,他们就会一动不动。然而,这种表面的服从并没阻止他们的独立活动,也没有妨碍他们根据自己的喜好安排一天的工作。他们会选择用来工作的物品,并把学校整理干净。如果教师来迟了,或让这些孩子单独留在教室里,一切都会照常进行。让参观者最着迷的就是看到这些儿童把秩序、纪律和自发性成功地结合在了一起。

即使在十分安静的情况下,他们也会表现出极好的纪律性。几乎在还没有要求他们之前,他们已经把事情做好了,究竟是什么形成了这些美德呢?

当儿童进行工作时,教室中充满了安静的气氛,这十分令人感动。没有一个人破坏这种气氛,也没有一个人能通过外在的方法建立这种气氛。

书写与阅读

一天,有二、三位母亲来找我,恳请我教她们的小孩认字和写字。这些妇女没有受过教育,她们以自己和其他家长的名义提出了这个要求。当时,我反对这样做,因为这个要求超越了我原来的计划，但是在她们的一再恳求下，我还是答应了。

真是出现了一些奇迹。我教给这些四、五岁儿童的都是一些字母。我让教师用硬纸板来做这些字母，还有些字母则用砂纸来做，这样儿童就能把手指放在上面，顺着字形写，并感受他们的形状。我把这些字母放在板上，并把形状相似的字母放在一处，这样孩子们的小手就能进行动作类似的描摹了。这位教师对这种安排十分满意，也就再无需帮孩子做什么了。

我不明白这些儿童为什么会如此激动。他们把这些字母高举得像旗子一样，列队绕圈行走，并且欢快地高喊着。这是为什么呢？

有一天，我惊讶地看到一个小男孩边走边对自己重复："要拼'sofia'这个词，必须有一个'S'、一个'O'、一个'F'、一个'I'和一个'A'"。他不断重复着将这些字母拼成了这个词。实际上他是在脑子里对这个词进行分析和研究，并寻找组成这个词的语音。靠着这种渴望有所发现的浓厚兴趣，他终于认识到，每一个语音都对应着一个字母。事实也是这样，缀字拼音除了语言和符号之间的一一对应外，还能是什么呢？语音基本上是讲出来的东西，与之相应的书写出来的东西不过就是把语音转变为可视的符号。书面语和口头语的平行发展标志着书写的进步。最初，书面语言是从口头语中提炼出来的，这一过程，就像滴水最终汇成大河一样，随意发出的音节最后也汇成了词语和句子的大河。

书写对书面与口头表达的进步至关重要。书写使手能掌握一种和说话同样重要的技能，并且成为第二种能够精确表达口头语言的交流方式。

书写的产生是文字发展的必然结果。但要能够正确的书写，手就必须能描摹出这些符号。一般来说，这些字母的符号是很容易描摹的，因为它们只是代表一些特定的语音。但是在这些儿童自学书写之前，我却没有意识到这一切。

这是在第一所儿童之家里发生的最伟大的事。第一个学会写字的儿童是那么的惊奇，他高喊着："我学会写字了，我学会写字了！"孩子们兴奋地围过去，看他用粉笔在地板上写出的字。这些孩子开始喊："我也会，我也会"，然后就跑去找书写的地方。有些孩子簇拥在黑板的周围，其他的人趴在地板上。他们都开始写字。

他们的书写热情就像一股急流一样无法阻挡。他们不放过家里每一处的能写字的地方,门上、墙上、甚至是面包上,都留下了他们的字迹。这些儿童只有4岁左右,他们书写的才能是我们完全没能料到的。这位教师告诉我:“这个小男孩是在昨天下午3点钟开始学写字的。”

我们完全惊呆了,仿佛目睹了一个奇迹。我们以前曾收到一些有精美插图的书,可是当这些儿童学会了写字后发给他们时,他们却只是很冷淡地把书接过去。不错,这些书里确实有精美的图片,但现在,这些东西只会使他们分心,使他们不能全神贯注地进行这项新的和吸引人的活动。他们想去写字而不是想看图片。也许是因为这些儿童以前从没有看过书,所以很久以来,我们一直试图唤起他们对图书的兴趣,而他们却根本不理解阅读是什么意思。因此,我们只好先把书放在一边,等待一个更有利的时机。儿童不大喜欢阅读别人写的东西,很可能是由于他们还不认得这些字。当我大声地念出他们所写的字时,很多儿童转过脸来惊讶地看着我,似乎在问:“你怎么知道的。”

只过了6个月,他们开始理解阅读的含义了。他们之所以能取得这样的进步,最主要是因为他们把阅读和写字结合起来了。当我在一张白纸上描摹字时,他们注视着我的手,并逐渐认识到,我正在像说话一样表达我的思想。他们刚刚认识到这一点,就开始拿着我写过字的纸,到角落里去试图阅读他们。他们只是默读这些字,并没有发出声音。如果谁已经理解了我写的字,他那由于努力思考而紧绷着的小脸就会舒展开来露出笑容,并且高兴得跳起来,仿佛藏在他体内的紧压着的弹簧被突然放松了一样。我所写的每一个句子都含有一个我曾用口头语言表达过的命令:“打开窗户”,“到我面前来”,等等。这就是他们阅读的开始。他们后来发展到能阅读包含复杂命令的长句子。但这些儿童似乎只把书写理解为表达自己的另一种方式,就像讲话一样,只不过是另一种讲话的方式,并能直接在人与人之间进行交流而已。

当参观者到来时,以前喋喋不休地致欢迎词的儿童,现在大都保持安静。他们会站起来,走到黑板前写“请坐”,“谢谢你们的来访”,等等。

有一天，我们谈论西西里岛所发生的巨大灾难，在那里，地震彻底摧毁了墨西哥城，导致数千人死亡。一个大约5岁的儿童站起来，走到黑板前写上："我感到很遗憾……"我们注视着他，希望对所发生的事表示悲哀。而他继续写道："我为我只是一个小孩感到遗憾。"这实在是一种奇怪的评论，但这个小家伙又接着写："如果我是个大人，我会去帮助他们。"他已经写出了一篇小文章，并表露了他内心的善良。他的母亲是靠在街头卖草药养家糊口的。

还有一件更令我惊讶的事。当时，我们正在准备一些教孩子们认罗马字母的材料，以便儿童能在阅读上更进一步。而这些孩子已经开始阅读所有在学校里能发现的印刷字母了。但有一些文字很难辨认，例如日历，因为日历上的字是用哥特体印刷的。与此同时，这些儿童的父母对我说，他们的小孩喜欢在街上停下来读商店招牌上的字，跟这些孩子一起走路实在很困难。很明显，引起儿童更感兴趣的是字母而不是文字。他们看到另一种不同的书写，并通过字的含义学会阅读它，这是一种直觉的过程，就像成人辨认刻在岩石上的文字一样。他们在这些符号中所发现的含义，证明了他们已经把这些文字辨认出来了。

如果我们匆忙地给孩子们讲解这些印刷体，就可能扼杀他们的兴趣和热切的观察。过早地强求他们通过阅读书本来识字，也会产生一种消极的影响。追求这些并不重要的东西，只会压抑他们鲜活丰沛的心灵。因此，那些书在很长一段时间里都保存在柜子里。直到后来，孩子们才开始接触这些书。这是以一种很有趣的方式开始的。一天，一个儿童很激动地走进学校，他的手里握着一张揉皱的纸，他悄悄地对一个同伴说："你猜这张纸上有什么东西？""什么也没有，只是一张破纸。""不，这张纸上有一个故事。""上面有一个故事？"这番对话吸引了许多好奇的儿童。这个儿童从废纸堆里捡来了一张散落的书页，他开始读起来，并且读了一个故事。

于是，他们理解了一本书的意义，书成为他们迫切需要的东西。然而，当他们发现有些内容很有趣时，就会把书中的这一页撕下来带走。可怜的书啊！孩子们发现了书的价值，而这些书却遭到了破坏。学校往日的安宁和秩序变得混乱起来。我们必须阻止这些由于喜爱阅读而变得具有破坏性的小手。这也说明了，在这些儿童还没有阅读书本和学会尊重书本之前，通过我们的帮助，已经学会了正确的拼和写，在这方面他们甚至可以跟一些文法学校三年级的学生媲美。

对身体的影响

在整个这段时间里，我们没有做任何事情去改善儿童的身体状况。但现在，没有一个人能从他们红润并充满生命的脸上看出，他们曾经是营养不良和贫血的儿童，他们曾经迫切需要食物、营养品和医疗保健。现在他们健康的体魄，好像是由于接触到新鲜的空气和晒太阳引起的。

的确，如果说心理的压抑会影响新陈代谢，并能降低一个人的活力的话，那么可以肯定，相反的情况也会发生：能够给人激励的心理体验会增加新陈代谢的速度，并因此促进人的身体健康。我们对这些儿童所做的工作就证明了这一点。今天，这个真理已经普遍地接受了，我们的经验虽然不会产生很大的影响，但在当时确实引起了轰动。

人们开始谈论这些“奇迹”。关于这些令人好奇的儿童的报道，像野火一样迅速传播。出版界用热情的语言赞美他们，还为他们写了书，甚至小说。虽然作者们正确地描述了他们的所见所闻，但他们却仿佛在描述一个完全不同的世界。人们谈论着对人类心灵的发现，他们甚至还引用这些儿童的谈话。英国出版了一本有关他们的书，书名是《新儿童》。许多人，尤其是美国人，还跑到我们这里来证实他们读过的报道。

PART 20

教育儿童的方法

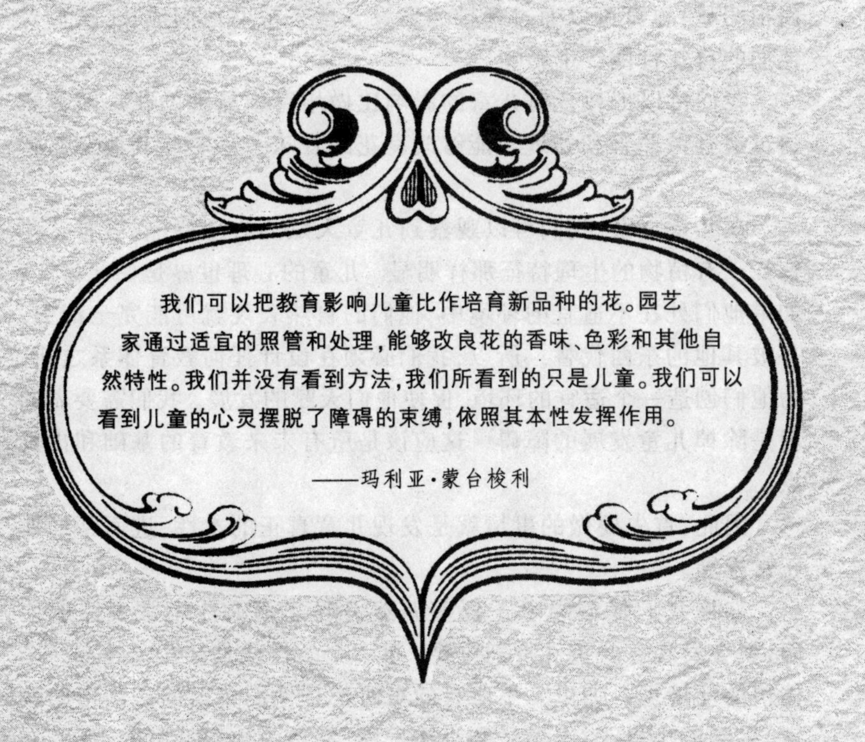

我们可以把教育影响儿童比作培育新品种的花。园艺家通过适宜的照管和处理，能够改良花的香味、色彩和其他自然特性。我们并没有看到方法，我们所看到的只是儿童。我们可以看到儿童的心灵摆脱了障碍的束缚，依照其本性发挥作用。

——玛利亚·蒙台梭利

除了对一些事情和感想的简短描述外，还有一个方法问题。使用什么方法才能获得这些结果呢？这是一个非常重要的问题。

我们并没有看到方法，我们所看到的只是儿童。我们可以看到儿童的心灵摆脱了障碍的束缚，依照其本性发挥作用。我们所举出的那些童年时代的特征，完全适合童年的生活，就像色彩适于鸟儿、芳香适于花朵那样。这种结果完全不是“教育方法”的产物。然而很明显，教育可以通过保护和培育儿童来帮助他们成长，从而对他们的自然特性产生影响。

我们可以把教育对儿童的影响比做培育新品种的花。园艺家通过适宜的照管和处理，能够改良花的香味、色彩和其他自然特性。

在儿童之家，我们可以观察到儿童天赋的心理特征，尽管这些特征没有植物的生理特征那样明显。儿童的心理世界是如此易变，如果他们处在不适宜的环境中，他们的自然表现就可能完全消失，并被其他的东西代替。所以，我们必须在设计任何教育体系之前，为他们创造一个适宜的环境，促使他们天赋的发展。我们需要做的就是除掉儿童发展的障碍，这应该是所有未来教育的基础和出发点。

因此，首先要做的事情就是发现儿童真正的本性，进而帮助他正常发展。

如果我们仔细思考了那些偶然引起儿童天性正常发展的原因，就会发现有些条件特别重要。第一个条件就是让儿童处在一个愉快的环境里，那里几乎所有的东西都是他们自己的。洁白的教室，崭新的小桌子、小凳子和小扶手椅，都是为他们特制的，还有在院子里沐浴在阳光下的草坪。这一切对那些来自不幸家庭的贫困儿童来说，都具有极大的吸引力。第二个有利条件是成人的中立表现。他们的父母是文盲,他们的教师是毫无企图也无先入之见的劳动妇女,这就形成了一种理智的平和。

教师必须平和,这一点人们早就认识到了,但是人们通常认为这种平和是一种性格,即不神经质。但是,这里的问题是,这种平和是一种更深沉的平静、一种空白,或更好的无阻碍的状态,这种状态是内心清晰的源泉。这种平和由心灵的谦虚和理智的纯洁构成,是理解儿童必不可少的条件,因此,教师必须具备这种平和。

还有一个重要的条件是,要给儿童特殊的物品,让他们工作,儿童会被这些能完善他们感知的物体吸引,他们借此发展分析能力和运动能力。这些物品还能教他们如何聚精会神,但是没有一种言语的说教能做到这一点。

由此可见,儿童身边所需要的就是:一个适宜的环境、一位谦虚的教师和一些材料做成的物品。

现在,我们能够描述儿童对外界影响的反应的某些方式了。最令人惊叹的就是其中一些需要手脑并用的活动。这些需要用手摆弄东西的活动就像魔杖一样,能敲开儿童天赋的发展之门。这些活动还形成了儿童内心深处的心理活动,如"重复练习"和"自由选择"。这样才能展现儿童真正的特性。我们看到儿童欣喜若狂、毫不疲倦地从事工作,因为他的活动就像一种心理的新陈代谢,只有通过这种新陈代谢,他才能不断成长。他热情地响应各种诸如安静练习的测试。他对一些能给人荣誉和正义感的课程着迷。他迫切地想学会使用那些能促使他心智发展的工具。但是,他不再对诸如奖品、玩具和糖果之类的东西感兴趣。他还进一步表现出对秩序和纪律的需要,并把它们作为内心的明镜。然而,他仍然是个孩子,生气勃勃、欢乐、真诚、可爱。他高兴地嚷着、拍着手。他到处奔跑,大声地问候其他人。他毫不吝惜地表达他的谢意,他满怀感激地追随帮助过他的人。他对所有人都友善,喜欢他所看到的所有东西,并使自己去适应一切。

我们可以通过列表的方法写出他偏爱的东西和他自发的表现方式。在这里面,也可以加上他反对的东西,这些东西让他觉得是在浪费时间。

1. 他喜欢的东西

- 重复练习;
- 自由选择;
- 控制错误;
- 分解运动;
- 社交中良好的行为规范;
- 环境中的秩序;
- 个人整洁;
- 感官训练;
- 与阅读分离的书写;
- 书写先于阅读;
- 不用书本阅读;
- 自由活动中的纪律。

2. 他抵制的东西

- 奖励和惩罚;
- 单词拼写课本;
- 共同的课程;
- 教学大纲和考试;
- 玩具和糖果;
- 教师的讲台。

当然,我们从这张表中可以发现一个教育体系的轮廓。儿童本身已经为我们提供了一种建立教育体系的实际的、积极的和已得到检验的规范。在这种教育体系中,儿童自己的选择是我们的指导原则,他们天生的活力可以防止错误发生。

在下面我们所要详细阐述的教育体系中，这些原则使我们联想到了脊椎动物的胚胎。在这个胚胎中,可以看到一条模糊的线,它将是未来的脊椎。在这条线的内部可以看到一些点,它们将发展成为互不相连的椎骨。这个胚胎有三部分,分别代表头、胸和腹部。同样的，我们的教育体系也有一条主线，它还有一些特征作为标志。这些特征也会像椎骨一样发展。这个教育体系也划分为三个不同的领域，由环境、教师和儿童所使用的各种物品组成。

一步一步地追踪这个原始轮廓的演变将非常有趣。由此，我们可以看到最初的洞察是如何发展成为一个对人类社会具有重大意义的理念的。这种特殊的教育方法处于不断发展之中，也许我们称之为进化而恰当些，因为其中新的东西来自随着环境的发展而发展的生命。环境本身成为了某种特殊的东西，虽然环境是由成人提供给儿童的，但实际上，它应该积极、充满活力地体现成长中的儿童所需要的新模式。

这个教育体系以惊人的速度被应用于所有种族和所有社会阶层的儿童。这给我们提供了丰富的实验资料，并使我们能看到共同的特征和普遍的趋势，进而确定儿童教育基础的自然规律。

特别有趣的是，从最早的儿童之家发展而来的第一批学校保留了这种做法，即采取任何进一步的规范之前，先要等待儿童的自发反应。

在罗马创建的第一批儿童之家中，可以从其中的一所发现儿童自发性的惊人例证。这所儿童之家的情况比我们最初的那些学校特殊得多，因为它的创建是为了照料在墨西哥地震(历史上最大的灾难之一)幸存下来的孤儿。人们在废墟周围发现了约 60 个小孩，没有一个小孩知道自己的姓名或社会地位。可怕的地震使他们变得几乎一样：抑郁、沉默、冷淡。他们难以进食和睡眠。晚上可以听到他们的叫喊和哭泣声。意大利的皇后对这些不幸的儿童极为关心，并给他们提供了一个快乐的场所。他们的新家有适合他们使用的明亮和富有吸引力的家具。还有带门的小橱柜、色彩鲜艳的小圆桌、稍高的长方形桌子、凳子和扶手椅，窗子上挂着彩色的窗帘。这些儿童使用他们的小刀、叉、匙、盘子、餐巾，甚至肥皂和毛巾的大小也跟他们的小手相适应。墙上挂着一些画，教室的四周摆着插满鲜花的花瓶。这个儿童之家坐落在一个修道院中，它有宽敞的花园、宽阔的过道、金鱼池塘和美丽的花圃。在这个环境里，身穿灰色长袍、头戴庄严的长头巾的修女平静地四处走动。

这些修女教孩子们如何举止得当，孩子们的行为举止也因此逐日改善。这里许多修女过去是贵族出身。这些修女回忆起过去她们在上流社会的行为方式，并把这些教给求知欲极强的孩子们。这些儿童学会了如何像王子一样用餐，而当他们布置餐桌时又像是艺术大师。虽然他们的食欲并没有因此而增加，但他们却沉浸在一种获得新知识的欢乐中，并且因为能在各种活动中恰到好处地运用这些知识而高兴。渐渐地，他们的食欲恢复了，他们也能很快地入睡了。这些儿童身上所发生的变化，给人们留下了深刻的印象。我们可以看到，他们到处跑跳，或在花园里运东西，或把屋里的家具搬到树下，既没有损坏它们，也没有相互碰撞。他们快乐的小脸上几乎整天都洋溢着幸福。

有人第一次把“皈依”这个词用到这些孩子身上。当时一位意大利最著名的作家评论说：“这些儿童使我想起了皈依宗教的人。再没有一种皈依比这种皈依更神奇的了，因为它能征服悲伤和沮丧，能使人上升到更高的生活境界。”

尽管这是一种听起来有些矛盾的说法，但这个概念在许多人的心中留下了深刻印象。皈依似乎与儿童的天真烂漫相矛盾，然而，这个词强调了对所有人都一目了然的非同寻常的精神特征。这些儿童经历了一次精神的复苏，这使他们摆脱了悲哀和放任，并再次把欢乐带给了他们。

如果我们把罪恶和悲哀看做是对一种美好状态的背叛，那么，再次回归这种美好的状态就意味着皈依。于是，罪恶和悲哀就要让位于欢乐。

这些儿童真的皈依了。他们从一种悲伤的状态转变到幸福的状态，他们摆脱了许多根深蒂固的缺点。但皈依所表明的还不仅仅如此，某些通常受到重视的特点不复存在了。这些儿童用一种不可思议的方式表明，人们过去做得不对，这些做法必须要完全更新。这种更新来自于人的创造力。我们学校里这些来自绝望边缘的儿童，如果他们没有表现出这一点，人们就很难区分清楚儿童真正的优点与缺陷，因为在成人的心里已经有了先入之见。成人原来以儿童能否适应成人的环境来判断这个儿童是否优秀，而不是相反。正是由于这种错误的观念，儿童的自然本性被掩盖了。成人不再按自然的意愿来判断儿童的优点以及什么东西对儿童有利了。

PART 21

娇生惯养的儿童

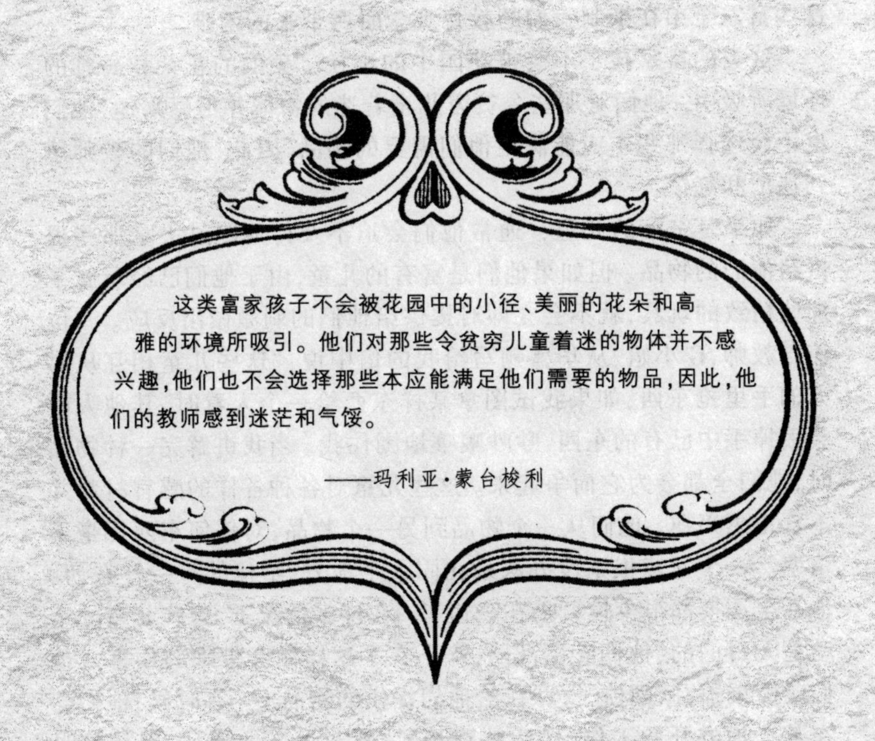

这类富家孩子不会被花园中的小径、美丽的花朵和高雅的环境所吸引。他们对那些令贫穷儿童着迷的物体并不感兴趣，他们也不会选择那些本应能满足他们需要的物品，因此，他们的教师感到迷茫和气馁。

——玛利亚·蒙台梭利

富家子弟是生活在特殊环境下的另一类儿童。人们很可能会认为，教育他们要比教育我们第一所学校中的贫穷儿童和墨西哥地震后幸存下来的孤儿容易得多。但这些富家子弟究竟是如何“皈依”的呢？富家的孩子正如他们的家庭一样，被社会所提供的奢侈包围，他似乎乐于享受特权。但是，只要引用欧洲和美国教师的经验就足以说明问题。这些教师与我谈了他们最初的感受，并描述了这些富家子弟在抵制我们的教育观念时所带来的困难。

这类的富家孩子不会被花园中的小径、美丽的花朵和高雅的环境所吸引。他们对那些令贫穷儿童着迷的物体并不感兴趣，他们也不会选择那些本应能满足他们需要的物品，因此，他们的教师感到迷茫和气馁。

如果是贫穷的儿童，通常他们会迫不及待地跑过去拿那些提供给他们的物品。但如果他们是富有的儿童，由于他们已经玩腻了那些精致的玩具，就不会立即对提供给他们的刺激做出反应。一位美国教师，G小姐，从华盛顿写给我的信中说：“这些儿童相互从对方的手里抢东西，如果我试图拿某样东西给一个人看时，其他人就会丢掉手中已有的东西，吵吵嚷嚷地围住我。当我讲解完一种物品时，他们全都会为它而争起来。这些儿童对各种各样的感官材料并不真正感兴趣。他们从一个物品到另一个物品，对任何东西都毫不留恋。一个儿童根本没办法呆在同一个地方，给他的每一样东西，他甚至还摸都很少摸就扔在一边了。在许多情况下，这些儿童的运动是无目的的，他们满屋乱跑，毫不在乎这样做会带来的损害。他们碰撞桌子，掀翻椅子，踩在给他们提供的物品上。有时候，他们会在某个地方开始工作，然后就跑开了，拿起另一件物品，但接着没有任何理由又把它扔掉了。”

D小姐从巴黎写信给我：“我必须承认我的经验是十分令人沮

丧的。这些儿童最多能在一项工作上集中几分钟的精力。他们没有自发性,不能持久。他们经常就像一群羊一样,相互跟来跟去。当一个儿童拿起一件物品时,其余的人也要这样东西。有时他们甚至在地板上打滚,弄翻椅子。”

下面简短的描述来自罗马的一所招收富家子弟的学校:“我们主要关心的问题是纪律。这些儿童在工作时乱搞一通,并拒绝接受指导。”

但是,过了一段时间之后,以上的情况都有了好转。

华盛顿的G小姐又写信来讲她的经验:“几天以后,这团由旋转微粒组成的星云(不守纪律的儿童)开始有了确定的形状。这情形看起来就像这些儿童在自己指导自己。他们开始对起初不屑一顾并认为傻乎乎的物品产生了兴趣。由于这种兴趣的影响,他们开始独立行动了。一个儿童如果被一件物品所吸引,他就不会对其他的东西分心。这些儿童开始寻找他们各自感兴趣的东西了。”

“当一个儿童最终找到了能自然而然唤起他强烈兴趣的东西时,我们的情形就像赢得了一场战役。有时候,这种热情会突然产生,并没有一点征兆。我曾经试图用学校里几乎所有的物品,去激发一个儿童的兴趣,但却没能引起一点儿兴趣和火花。但偶然一次,我给他看两种不同的颜色。他立刻伸出了手,似乎他一直在焦急等待它们。在一堂课的时间里,他就认识了5种颜色。在以后的几天里,他拿起了所有过去瞧不起的物品,逐渐地,他开始对这些东西感兴趣了。”

“有一个儿童,最初只能持续很短时间的注意力,但当他对一件他摆弄的最复杂的叫做“长度”的物品感兴趣之后,就摆脱了这种紊乱的状态。整整一个星期,他不断地玩这个东西,并学会了如何数数和做简单的加法。然后,他又开始玩一些较简单的材料,开始对这个教育体系里的所有的物品都感兴趣。”

“儿童一旦发现某种使他们感兴趣的东西,就可以摆脱那种不稳定性,并学会聚精会神。”还是这位华盛顿的教师,就唤起儿童的个性做了如下的描述:“有一对姐妹,一个3岁,另一个5岁,这个3岁的女孩没有自己的个性。她在所有的事情上都模仿她的姐姐。如果姐姐有一支蓝色的铅笔,妹妹就会不高兴,直到她也有一支蓝铅笔为止。如果姐姐吃黄油面包,妹妹就除了黄油面包之外,什么都不吃,还有许多类似的情形。这个女孩对学校的任何事情都不感兴趣,她只会跟着她的姐姐到处走,模仿她姐姐所做的每一件事。然而,有一天,她突然对一些红色的立方体感兴趣了。她搭起了一座城堡,并多次重复这项练习,完全忘掉了她姐姐。这使她的姐姐感到十分迷惑,就叫住她问:为什么我在填圆圈的时候你却在搭城堡?就在那一天,这个小女孩找到了自己的个性并开始发展,而不再是姐姐的翻版了。”

D小姐讲述了一个4岁的小女孩。这个女孩只要拿着一杯水就会把水洒出来,即使水杯里只有一半水也不行,所以她正在极力地设法不把水洒出来。但是,在她成功地完成了另一项她感兴趣的练习之后,她开始能不费力地拿几杯水,并能专心致志地给正在画水彩画的同学送水,而且一滴水也不洒出来。

还有一位美国教师给我们讲了一件有趣的事。她学校里有一个小女孩,还不会讲话,只能发出模糊的声音。

她的父母十分着急,把她带去看医生,以检查她的智力是否迟钝。有一天,这个小女孩对固体的镶嵌物产生了兴趣。于是。她花了大量的时间把那些木制的圆柱体从洞孔里取出来,再把它们放进去。在她怀着浓厚的兴趣一遍又一遍地这样做之后,她跑到教师面前说:“你来看!”

D小姐又给我们来信说:“圣诞节过后,这个班级发生了巨大的变化。秩序好像是自己建立起来的,我并没有插手做任何事情。这些儿童似乎完全被他们的工作吸引了,再也不像从前那么漫无目的地做事。他们主动地走到柜子旁,取出以前他们感到厌烦的那些物品。班级里形成了一种工作的氛围。这些儿童过去只凭一时冲动去选择物品,现在他们表现出对一种内在训练的需要。他们把精力集中在一些艰难的任务上,并在克服困难时体验到一种真正的愉快。这些宝贵的努力对他们的性格产生了直接的影响。他们成了自己的主人。”

D小姐对于这样一个例子印象极深刻。有个4岁半的小孩,想象力异常丰富、活跃。每给他一件物品时,他不是去观察它的形态,而是立即把它想成一个像他自己一样的人。他不停地说话,根本无法把自己的注意力集中在这件物品上。由于他的思想游移不定,就导致了他行动笨拙。他甚至不会扣纽扣。但是,有某种奇迹突然降在他身上,我对他的变化惊讶不已。他开始一项一项地做练习并因此而安静下来了。

在我们有一个固定的和明确的方法之前,那些办学的教师已经无数次地重复这样的经验了,而她们的经验基本相同。所有明智的和热爱孩子的父母和他们深感幸福的孩子,在生活中,虽然比较少但也会发生类似的情况与困难。也许物质上的宽裕会带来精神上的贫瘠。这也说明了为什么基督的话能在每一个人的心中扎根:“赐福给那些精神贫乏的人!……赐福给那些悲伤的人!”

但是,所有受到召唤的人,只有克服他们的困难才能真正得到这个赐福。因而“皈依”的现象属于童年。问题是,“皈依”通常出于同一个原因,并且是一种迅速的、有时几乎是瞬间即逝的变化。我所能举出来的所有儿童皈依的例子,都是因为儿童开始专注于一项有趣的工作。各种各样的皈依都是这样产生的。神经质的儿童变得平静了,有压抑感的儿童重新获得了活力,所有的人通过这种有秩序的工作都在不断前进,并且还通过这一途径把内心的潜能发挥出来进而得到了提高。

这些已经取得的成绩,具有一种爆发式的特点,并将预示着儿童未来的发展。我们可以把这些成绩比作儿童长出了第一颗牙齿或跨出了第一步。这样,其他的牙齿将紧随着第一个牙齿的出现而出现,在跨出了第一步之后儿童,将开始走路。

我们的学校已经在世界各地普及,这表明了儿童皈依的普遍性。儿童变得不那么孩子气了,并且具备了一些其他的特点。在培育儿童中所犯下的第一个错误,可能会成为他精神生活出轨的根源。

正常化

在儿童皈依的过程中,特别需要注意的是一种心理治疗方法,就是使儿童回到正常的状态中去。实际上,正常的儿童由于心智早熟,已经学会了克制自我、平静地生活以及宁可有秩序地工作而不愿无所事事。当我们用这种眼光去看儿童时,就应该把“皈依”称为“正常化”,这样称呼会更确切些。人的真正本性隐藏在他自身当中。当他还是个胎儿时,就被赋予了这种本性。我们必须承认这种本性并允许它发展。

但是这种解释与儿童皈依的现象并不矛盾。即使是一个成人或许也会以同样的方式皈依,但是这种转变非常困难。因此,不能把它简单地看做是人类本性的一次回归。

儿童正常的心理特点可以较容易地发展成熟,到那时所有不正常的特点都消失了,正如恢复了健康以后,所有的病兆也不复存在了一样。

如果我们用这种观点来看待儿童的话,那我们就能更深刻地认识到,即使在不良的环境中正常化也会自发地展现。虽然人们没能认识或帮助儿童的正常化,但这种正常化原则仍充满活力地出现,仍能越过障碍使它的要求得到满足。

甚至可以这样说,这种使儿童正常化的力量教给了我们宽容的道理。这种力量就像基督的声音,不只 7 次“甚至是 70 次”教导我们要宽容。尽管成人压抑儿童,但儿童从他本性的深处不断地原谅成人,并努力使自己健康地成长起来。儿童正与不断地压抑他正常发展的力量进行斗争。

PART 22

教师的心理准备

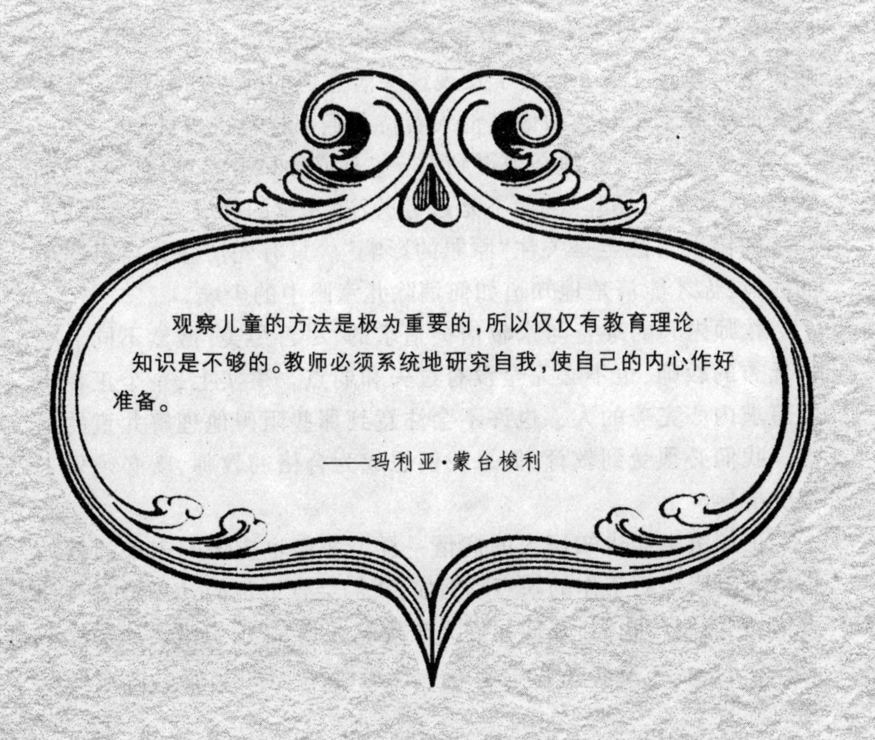

因此，一位教师如果认为只靠自己的研究就能为教学做好准备的话，那就错了。对教师所提出的第一个要求就是正确地处理好他的工作。

我们观察儿童的方法是极为重要的。所以，仅仅有教育理论知识是不够的。

我们所强调的是，教师必须系统地研究自我，使自己的内心作好准备。这样，他才能摆脱最根深蒂固的缺点，事实上，这些缺点会妨碍他与儿童的关系。为了发现这些潜意识的弱点，我们需要一种特殊的引导。我们必须像其他人看待我们那样看待自己。

这也就是说，教师必须得到引导。他必须一开始就研究自己的缺点，以及他的坏脾气，而不是过分关注“儿童的脾气”，或者“纠正儿童的错误”，甚至是关注“原罪的影响”。只有先清除你自己眼中的沙粒，你才能清楚地知道如何消除儿童眼中的尘埃。

教师内心的准备与宗教信徒追求的“尽善尽美”截然不同。一位优秀的教师，也不必完全没有过失和弱点。事实上，一个正在不断追求内心完美的人，也许不会注意到那些阻碍他理解儿童的弱点。我们必须受到教育，如果我们想成为合格的教师，就必须乐于接受指导。

正如医生会告知病人的病情一样，我们也应该向未来的教师指出能阻碍他们工作的缺点。例如，我们会告诉他们：“发怒是一种大错，它能制约我们，并使我们无法理解儿童。”正如错误从来都不是孤立的一样，发怒还会带来另一种错误——傲慢，它会隐藏在友善的伪装下。

我们可以用两种不同的方法，从内部和外部来征服我们的坏脾气。第一种方法，是与我们已知的缺点进行斗争。第二种方法，是控制我们坏脾气的外在表现。外在表现服从公认的行为标准是非常重要的,因为这会使我们反省,意识到自己的缺点。一个人尊重邻居的意见会使他征服傲慢;经过整治的环境能减少贪欲;其他人强烈的反应有助于制止发怒;为了生存而去工作能减少偏见;社会习俗能制止散漫的行为;难以获得奢侈品能减少挥霍;保持一个人尊严的需要能排除嫉妒。所有这些外界的因素,对我们内心的生活都会产生持续和有益的影响。社会关系有助于维护我们的道德平衡。

我们仍然不能像服从上帝的意愿那样,没有一丝杂念地去服从社会压力。尽管我们已经承认,必须纠正我们所认识到的错误,但那种因为别人纠正我们而让我们产生的羞耻心,使我们并不容易接受指正。我们宁可犯错误,也不会去承认它。当我们必须改正时,会本能地力图挽回面子,并找借口说我们所选择的方式是不可避免的。我们可以引用一个小小的谎言来证明这种情况。当我们没能得到想要的东西时,就会说:“我们根本就不想要”。这是我们对外界压力的本能反应。我们没有从内心来完善自我,相反却继续着这种斗争。其实,这就如同我们所做的其他斗争一样,很快就会发现,我们不仅需要个人的努力还需要他人的帮助。那些具有同样弱点的人,会本能地相互帮助,并找到他们联合的力量。

我们用崇高的和不可推卸的责任做借口,掩盖了自己的缺点。这就好像在战争时期,进攻性的武器被描绘成和平的手段一样。我们越是对自己的缺点手软,就越容易替自己找借口。

当我们由于自身的过错遭到批评时,我们会很自然地去辩解。但实际上,我们并不是在保护自己,而是在保护自己的错误,是在把它们隐藏在所谓的“美”、“必不可少”、“共同的善”等等伪装下。渐渐地,我们说服了自己,把那些明明是谬误的东西当作真理。这种错误时间越长就越难以纠正。

教师,以及所有与青少年教育有关的人,都应使自己从这种错误的圈子里解脱出来。这种错误有损于他们的身份。他们应该努力摆脱掉傲慢和发怒这样的基本缺点,学会用正确的眼光看待它们。发怒是主要的缺点,但它得到了傲慢的掩护。傲慢会导致某种虚假的尊严,甚至还会要求得到尊重。

但是,发怒是一种罪恶,它很快就会受到邻居的抵制。谨慎的态度能控制发怒。因此,一个能成功地使自己谦逊的人,最终会对自己的怒气感到羞愧。

然而,当我们跟儿童打交道时,情况就截然不同了。他们不理解我们,也不能保护自己免受我们的侵犯。他们接受我们所说的任何东西。他们不仅接受虐待,而且每当我们责备他们时,他们总会感到错在自己。

教师应该经常对儿童的困境进行反思。儿童并不能用理性来判断待遇是否公正,但儿童能感觉到某些事不对头,并因此变得抑郁和心理扭曲。儿童出于对成人的怨恨或对轻率行事的成人的反抗,就用怯懦、说谎、出格的行为、没有明显理由的哭闹、失眠和过度的惊恐来表现,因为他们还无法用理性弄清楚抑郁的原因。

发怒的最初状态就是某种程度的暴力行为，它是一种用巧妙的方式表现出来的暴力,并以此掩饰了暴力的本质。对儿童发怒的最简单形式就是对儿童的抵抗感到恼火，但发怒不久就与傲慢结合起来,当儿童要实现自己微小的愿望时,这种发怒就会发展成为专制。

专制排斥商议。这种得到认可的权威就像一堵无法穿透的墙保护着施行专制的人。成人凭借天生就被认可的权威来支配儿童。对这种权威的怀疑就等于攻击一种神圣不可侵犯的统治。如果说在早期的社会里,一个暴君代表上帝,那么成人对儿童来说,就意味着一种神圣、是不能有争议的。儿童只能保持沉默,并使自己去适应身边的一切,不得违背成人的意愿。

如果儿童确实表现出某种抵抗,这种抵抗不是直接地、或有意地反抗成人,而只是积极地保护自己心灵的完整,或是对压制的一种无意识的反应。

只有随着时间的流逝，儿童才能学会如何直接地反抗这种专制。但到那时,成人也学会了如何用更巧妙的方法征服儿童,并使儿童相信这一切都是为了他好。

虽然儿童应该尊敬长者，但是成人却声称他们有权裁断甚至是侵犯儿童。他们会不失时机地指导甚至压制儿童的需要。儿童如果表示反抗就被认为是危险的和无法容忍的。

成人采用了古代暴君的统治方法：他们从臣民的手中强取豪

夺,却不允许他们做任何声辩。儿童相信他们拥有的一切都是成人给予的，这就像那些臣民相信他们的每一样东西都是君王恩赐的一样。但是,成人难道对此没有责任吗?他们扮演了造物主的角色，傲慢地认为应该监管与儿童有关的一切事情。他们还认为是自己使儿童善良、虔诚、聪明,使儿童能接触环境、人和上帝。为了使他们的形象更完美,他们拒绝承认有任何暴君的行径,难道有哪个暴君会承认他折磨过他的臣民吗?

如果谁想依据我们的教育体系成为一名教师的话，他就必须自我反省,摒弃这种专制,他必须去除内心的傲慢和愤怒,他必须学会如何使自己变得谦虚和宽容。这些就是他必须具备的美德。这种心理上的准备将给予他所需要的平衡和沉静。

另一方面，这并不意味着我们必须不对儿童的所作所为做任何评价,或者必须赞成他们所做的每一件事,甚至可以忽视他们心理和情感的发展。相反,教师永远也不应忘记,他的使命之一就是教育。

但是,我们仍然必须谦虚并根除藏在心中的偏见。我们一定不能去压制那些有助于教学的品质,但是,我们必须抑制那种成人所特有的,会妨碍我们理解儿童的思想观念。

PART 23

偏离正轨

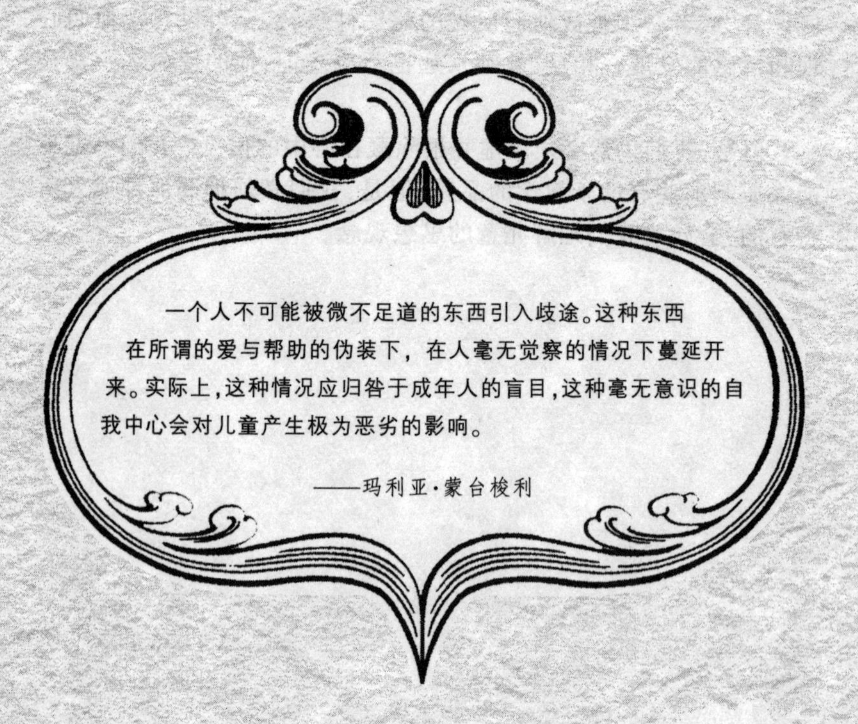

一个人不可能被微不足道的东西引入歧途。这种东西在所谓的爱与帮助的伪装下，在人毫无觉察的情况下蔓延开来。实际上，这种情况应归咎于成年人的盲目，这种毫无意识的自我中心会对儿童产生极为恶劣的影响。

——玛利亚·蒙台梭利

经验表明，正常化会使许多幼稚的品质消失。在这些消失的品质中，不仅有邋遢、不服从、懒散、贪婪、自我中心、好争吵和不稳定，而且还有所谓的“创造性的想象”、喜欢故事、对他人的依恋、游戏、顺从等等。它们还包括科学上一直研究的并被认为是童年时特有的一些品质，例如，模仿、好奇、自相矛盾和注意力不集中。这些幼稚品质的消失表明，人们至今尚未了解儿童的真正本性。这一事实的普遍性是惊人的，但由于很早以前，人们已经认识到了人的双重本性，所以这也并不是全新的。人的第一种本性是他与生俱来的。第二种本性来自他的原罪，即他违背了上帝的法则而产生的后果。由于这种堕落，人被剥夺了在他较早时期所得到的赐福，他因此会受环境和自己心灵幻觉的支配。这种原罪说会有助于理解儿童发生的事情。

一个人不可能会被很微不足道的东西引入歧途。这种东西在所谓的爱与帮助的伪装下，在人毫无觉察的情况下蔓延开来。但实际上，这种情况应归咎于成年人的盲目，这种毫无意识的自我中心会对儿童产生极为恶劣的影响。然而，儿童也在不断地进行自我更新，他们自身有一个没有遭到破坏的计划，他们只有根据这个计划才能正常地发展。

儿童恢复了正常、自然的状态，与一个特殊的因素有关，这个因素就是他能专注于某些使他与现实环境相接触的体力活动。也许我们可以下这样的结论：导致儿童偏离正轨的根源只有一个，即他在成长时期处于一个有害的环境中，使他无法实现他原始发展的计划，因而无法在“实体化”的过程中发挥出他潜在的能量。

神 游

实体化的概念,可以指导我们去解释偏离正轨的性质。心理能量必须在运动中进行实体化，这样它才能使一个人的人格得到统一。如果一个人不能获得这种统一，不管是由于成人占了支配地位,还是由于儿童在环境中缺乏活力,心理能力和运动这两个组成因素就会各自发展,这样“人被分裂了”。由于从本质上说,没有一样东西会被创造或消灭,所以,儿童的心理不是按它应有的方式发展,就是向着错误的方向发展。通常当这些心理能力失去了根基而毫无目的地漫游时,就产生了偏离正轨的现象。心灵应该通过自发的体力活动来塑造自身,这样心灵才不会沉浸在幻想之中。

当游移不定的心找不到可以工作的对象时，它就会被图像和符号所吸引。儿童如果发生这种心理失调,就会坐立不安地到处乱动。他们看起来充满活力、难以自制,但却毫无目的。他们刚着手做一件事,没过多久就把它丢下了,因为他们的心思分散在许多不同的事情上,而不能集中于某个对象上。不管成人惩罚还是耐心地容忍这些心理失调儿童的散漫和不守规矩，我们实际上是赞成和鼓励儿童去幻想的,并把这种幻想解释为儿童的创造性倾向。福禄培尔发明了许多游戏,目的在于鼓励儿童沿着这些方向发展想象力。成人教儿童观察他自己用积木搭成的马、城堡或火车。儿童的想象力可以给任何一种物体赋予意义，但是这就在他的心灵中产生了一种幻想。一只门把手变成了一匹马,一把椅子变成了宝座,一块石头变成了一架飞机。大人把玩具送给孩子让他们玩,但是这些玩具只是产生了各种幻觉，却未能提供与现实相关的真实并富有建设性的环境。这种环境只能使儿童产生幻觉,而不能给他任何真正意义上的理智的全神贯注。这些玩具能刺激儿童去活动,但它们就像一阵微风吹起了余烬中的火星,火星很快就熄灭了,而这种玩具也很快被扔掉了。但是,成人认为,当儿童自由活动的时候,玩具是他们发泄能量的唯一途径,认为这些玩具就像能吹起余火的微风。

成人相信儿童会在玩具中找到幸福。

尽管儿童很快就厌倦他的玩具并把它们弄坏，但成人的想法依然没有改变。当成人毫不吝惜地把礼物送给儿童时，儿童会认为他们慈爱、慷慨。玩玩具是这个世界赋予儿童的唯一自由，但儿童应该在这个宝贵的时期中为将来更美好的生活打下基础。这种“分裂的”儿童，在学校里被当作是十分聪明的人，即使他们没有秩序、不协调和无纪律。

在我们为儿童提供的环境里，我们看到这些儿童马上投入到某些工作中去。他们激动的幻想和坐立不安的动作消失了，他们平静地面对现实，开始通过工作使自己更完善。他们成为正常的儿童。他们无目的的行动变得有方向了。他们的身体四肢能够成为思想的工具，并以此去了解和真正认识周围环境中的现实情形。现在他们对知识的探究已经代替了毫无目的的好奇。心理分析学家通过出色的洞察力，把那种没有正常发展的想象力和对游戏的过分热衷，看做是“心理的神游”。

“神游”是一种逃避，一种寻找慰藉的表现。逃进游戏或幻想世界中去，常常掩藏了已经分裂的心力。神游代表了一种自我无意识的防御，使自己逃离痛苦或危险，把自己隐藏在一个面具之后。

障碍

教师们发现，想象力非常丰富的儿童，并非像人们认为的那样是班里最好的学生。相反，他们所获甚少或一无所获。尽管存在着这个事实，但仍没有人怀疑这些儿童的思想已经偏离了正轨。相反，人们认为是巨大的创造力使他们不能专心于实际事物。然而，一个思想偏离正轨的儿童是无法控制自己的思想或正常地发展潜力的。这一事实已经明显地表明：这种儿童的智力并不高。这种思想偏离正轨的弱点不仅表现为儿童的心灵进入幻想世界，而且还表现为儿童丧失了勇气，试图把自我封闭起来。就一般的儿童来说，他们的平均智力水准比正常化儿童的智力低。由于他们的心力使用不当,所以他们就像骨折的儿童,要想恢复健康就必须得到特殊的治疗。但是,这些儿童不但没有得到精心的呵护和治疗来恢复思想的失调进而发展智力,相反,他们却常常受到威吓。偏离正轨的心灵是经不起强制和压迫的,任何人想以这样的做法来纠正儿童,都将导致儿童的反动性格。

这种反叛性格并不是我们通常所看到的,表面上表现出来的漠不关心和不服从的心理防御。相反,这是一种思想完全无法控制的心理防御,它会无意识地阻碍儿童接受和理解来自外界的观念。

心理学家把这种观念称为"心理障碍"。教师应该有识别这种障碍的能力。儿童心中的这个障碍会使他响应得越来越消极。通过这种防御机制,儿童心灵会无意识地说:"你说话但是我不听。你不断地重复,但是我就当没听见。因为我正忙着建造一座墙,把你拒之墙外,只有这样我才能有一个属于自己的世界。"

长时间地进行这种自我防御,会使一个儿童看起来好像丧失了在某方面的天赋才能。事实上,这类儿童的教师,在与这些饱受心理障碍折磨的儿童相处中发现,他们的智力低于平均水平,不能掌握诸如算术和拼写之类的技能。

如果一个有智力的儿童对许多类型的学习设置心理障碍,甚至抵制任何类型的学习,也许人们就会认为他愚蠢。如果他在同一个年级中留级几次,人们就会认为他智力低下。通常,心理设防不是唯一的障碍,它还被外界的防御所包围。心理学家一般把这种防御称为"抵触"。这样的儿童一开始会对某一学科抵触,然后是对大部分学科抵触,再以后是对学校、老师和同伴抵触。那时这样的儿童心中就很难有爱和友善了,他最后会害怕学校并且逃避上学。

通常,这些人会带着这些在儿童时期形成的心理障碍终其一生。许多人终生讨厌数学,这就是个例子。他们不仅不能理解数学,甚至只要一提到它就会产生一种心理障碍,表现出忧虑和厌恶。其他学科也会发生类似的情况。我曾经认识一位年轻的妇女,她很聪明,但就她的年龄和背景而言,她在拼写上所犯的错误完全是不可思议的。每一次改正这个缺点的尝试,都以失败告终。这个错误似乎还随着练习的增多而成倍增长,甚至阅读经典著作也无济于事。但是,有一天让我感到完全意外的是,我看到她书写得不但漂亮而且正确。这里,我无法详细地论述这件事,但是很明显,她一定是找到了表达自我的正确方式。然而这是一种神秘的力量,使她不再错误连篇,使她发挥出了这方面的能力。

治疗

也许人们会问,神游和心理障碍这两种思想偏离正轨的情况,哪一种更严重。在我们规范化的学校中已经证明,上面所提到的沉浸于游戏或幻想的神游比较容易治愈。通过一个比拟可以发现其原因。如果一个人从某个地方逃离,是因为他在那里没有找到他需要的东西,但是如果那个地方的环境发生了变化,他还可以随时回去。

事实上,在我们学校里最经常发现的现象就是,心理失调和极端的孩子骤然发生了转变。他们似乎瞬间就从遥远的国度回来了。他们不仅改变了无秩序的工作习惯,还有了一个更深层次的转变,即拥有了平静和满意。偏离正轨的思想自然而然地消失了。儿童经历了一种自然的转变,但如果他没有使自己的思想转入正轨,这些缺陷就可能终其一生。许多看似拥有丰富想象力的成人,其实对他们的环境只有模糊的感觉,并且受自己感觉印象的支配。这些人以他们富于想象的性情而为人所知。他们缺乏秩序感,只是光线、天空、颜色、花朵、风景、音乐的热情赞美者,他们拥有一种伤感和浪漫的人生观。

但是他们并不了解他们所赞美的光线,也不能真正地热爱它。给他们灵感的星星也不能使他们长时间地集中注意力,从而获得最起码的天文知识。他们具有艺术家的气质,但是他们却没有创造出任何东西,因为他们没有耐心去获得任何技能。通常他们不知道用手去做什么,无法保持安静,也不能使自己投入到工作中去。他们会神经质地碰东西,并常把东西打碎。他们还心不在焉地拔起那些他们赞美过的花朵。他们不能创造任何美丽的东西,也不能使自己生活得更幸福。他们不知道如何去发现世间的诗意。如果没有人帮助他们,他们会不知所措,因为他们把自己弱点和癖好当作完美的标志。这些思想的偏离正轨起源于人的早期,那是容易弄乱的一个时期。当一个人误入歧途、偏离正轨的时候,一开始是很难发现的。

心理障碍与神游不同,它是很难克服的,即使在幼儿身上发现也很难克服。它建造了一堵封闭的墙把自己藏于其中,保护自己不受外界侵犯。因为他把自己与世间美好的事物相隔离,所以很难获得幸福,并且只能在自我封闭的舞台上唱独角戏。自我孤立的人把求知、探索数学和科学的秘密、欣赏迷人的音乐,都视为“仇敌”。儿童天赋的能力被引入歧途,以致他对所有他可能感兴趣和喜爱的东西都视而不见。学习导致了他对世界的厌倦和抵触,而不可能成为他谋生的工具。

“障碍”是一个具有高度暗示性的词,它使我们想起在我们没有任何卫生知识之前,用来避免传染疾病的方法。男人和女人都避免接触新鲜的空气、水和阳光。他们一直把自己关在密不透风的大墙背后。不论是白天还是黑夜,他们把窗子关严。即使他们敞开这些窗子,对于通风来说也是不够的。他们用许多厚厚的长袍把自己裹起来,就像洋葱一层紧裹着另一层,以此防止空气净化皮肤的毛孔。这种环境,只会有碍于人的生存。

但是,社会的某些方面也能使我们想起这些障碍。为什么人要相互孤立起来?为什么一个家庭要把自己封闭起来,对别的家庭表现出冷漠和抵触?建一个家庭是为了避免孤独,为了寻求幸福,但是这样又把自己与其他家庭分隔开了。筑墙并不是用来保护爱的。家庭观念上的防御是封闭的和难以逾越的,它比这个家庭建造的围墙更加坚固。最终,这个真正的障碍把人分隔成社会、等级和民族。

竖立在民族之间的屏障并不能使一个统一的民族与其他民族相隔离,也无法给它自己的民族以自由和保护。然而,对隔离和防御的渴望加固了民族间的障碍,并阻止了人员和商品的交流。

但是,文明如果是通过物质和思想的交流而得以发展的,那么在这种缺乏信任的背后隐藏着什么呢?是不是即使一个民族也可能遭受由痛苦和暴力所产生的心理障碍呢?痛苦和悲哀已经集体化了，它们如此强烈以至于这个民族的生活已被拖回到比以往任何时候更可怕和坚固的障碍中去了。

依附

有些儿童的本性是如此容易退缩，以至于他们的意志薄弱无法抵制成人的影响。他们依附于一位乐于为他们代劳一切的年长者，因此变得对他过分依赖。他们并没有意识到自己缺乏活力、容易掉泪。他们抱怨所有的东西，并且具有一副正在遭受痛苦的神态，这使人们认为他们是敏感和充满深情的。他们总是显得不耐烦，虽然他们自己并没认识到这一点，因此他们就求助于成人，因为他们自己不能摆脱令人压抑的厌烦。他们依恋他人，似乎他们只能靠依赖度日。他们请求成人的帮助，要求成人跟他们玩耍、给他们讲故事、给他们唱歌，并且不许成人离开他们。成人变成了这些儿童的奴隶。即使儿童和成人之间有着深厚的理解和感情，他们也陷入了同一张网中。这些儿童会不断地问“为什么”，似乎他们渴求知识。但是，如果我们仔细观察他们的话就会发现，他们并没有注意听成人的回答，而只是简单地重复他们的问题。他们仿佛是在热切地求知，实际上这只是让一个能给他们帮助的人留在身边的一种手段。

他们很容易放弃自己的活动，去服从成人毫不重要的命令，成人则很容易把自己的意愿强加在这个温顺的儿童身上。但是，这里存在着一个巨大的危险，它将导致儿童对任何事情都漠不关心。这种冷漠将被视为迟钝或懒惰。

成人是喜欢儿童懒惰的，因为这样他们就不会妨碍自己的行动了。但是，这只会使儿童更加严重地偏离正轨。

惰性，实际上是一种心理疾病。也许可以把它比作患了重病的人的虚弱。它是活力和创造力衰退的外在表现。基督教认为懒惰是人首要的罪恶之一，是会使灵魂死亡的罪恶之一。

成人已经把毫无用处的帮助、潜移默化的影响和自己的意愿都强加给了儿童，进而阻碍了儿童的心理发展。

占有欲

幼小的婴儿和正常化的儿童具有一种使用他们多种官能的自然倾向。他们不是对周围的事物漠不关心，而是深深地热爱它们。他们就像饥饿的人在寻找食物，为满足物质需要而渴求某种东西。这并不是理性发出的要求。例如，我们不会在已经饱了的时候说："我已经好长时间没吃东西了，如果我不吃什么，就不能保持能力，甚至活不下去。所以，我必须吃些营养品。"是的，饥饿的确是一种痛苦，它不可避免地驱使我们去寻找食物。儿童对他的环境也有一种类似的饥饿感。他们寻找能满足他心灵需要的东西，他将在活动中得到心灵的营养品。

让我们像新生儿一样喜欢"精神的滋养"吧。这种动力，这种对周围环境的热爱，是人与生俱来的。但是，如果说儿童充满激情地热爱他的环境，这也并不正确，因为激情是一种冲动，是一转眼就会消失的。相反，应该把它称为能感受到的"充满活力的体验"的动力。儿童热爱周围环境的活力，驱使他不停地活动。这种能激励他的热情，可以比作氧气在他体内所产生的热量。一个有活力的儿童留给人们这样的印象，他正生活在一个适宜的环境中，即一个有助于自我实现的环境中。如果儿童没有生活在这种环境中，而一直处于虚弱、乖戾和与世隔绝的状态，这种儿童会发展成一个怪人。他将是一个无法独立、缺乏智慧、令人讨厌、容易陷入怪念头和非社会化的人。

如果儿童没能在有助于他发展的活动中找到动力，那他就会彻底被"物品"所吸引，并渴望拥有它们。拿走某物并把它保存起来是很容易的，这并不需要知识和热爱。儿童的心力就这样被转移了。当这样的儿童看到一只金表时，就会说："我要它。"即使他还看不懂时间。但这时，另一个儿童就会叫起来："不，我要它。"他们准备为这只金表打架，即使这样做可能会把金表毁坏也在所不惜。但他们就是通过这种方式相互竞争,并毁坏他们想占有的东西的。

实际上,所有道德上的偏离正轨都取决于在爱和占有之间作出的第一个选择。人一旦做出了选择,就会沿着这两条路中的一条走下去。儿童的本能就像章鱼的触角一样伸展出去,抓住甚至毁坏他急不可待想要的东西。一种占有欲使他牢牢地抓住东西,他就会像保卫自己的生命一样保卫它们。强壮的和活泼的儿童靠击败其他也想占有此物的儿童来保护自己的财产。这些儿童由于经常想要同一样东西,所以就会频繁地吵架。这只会产生痛苦——冷酷无情并总为小事而争吵。人们不应该轻视这种争执。之所以发生这种情况,是因为一个人的自然能量被转移了。占有欲根源于某种内心的黑暗,而与外界的物质无关。

作为儿童道德训练的一部分,我们督促儿童不要把自己依附于物质的东西上。这种教育的基础是对他人财产的尊重。但是如果儿童已经依附于物品时,它就越过了那座把他与内心生活相隔开的桥,这就是为什么他渴望求助于外物的原因。这种欲望深深地扎根于儿童的思想中,以至于人们认为这是儿童的一种本性。

具有缄默气质的儿童也会把他们的注意力转向毫无价值的东西上,只是他们占有东西的方式不同于外向的儿童。他们不善争吵,通常不与别人对抗。他们更喜欢去积累并隐藏东西。人们认为他们是收藏家,但是这些儿童并不是为了把东西分门别类。他们收集的东西五花八门,相互之间毫无联系。不仅智力有缺陷的成人,而且还有犯过罪的少年,口袋里都经常装有毫无用处的和不相称的东西,这些人对收集也有一种荒谬的癖好。个性内向和沉默的儿童同样会从事类似的活动,但他们收集东西的习惯却被认为是完全正常的。如果有人想夺走这些东西,这些儿童就会竭尽全力地去保护它们。

心理学家阿德勒,对这种收藏的偏好做了有趣的解释。他把这种情形比作成人的贪婪,这种贪婪的萌芽在婴儿时期就能被发现出来。如果一个人依恋于许多毫无用处的东西,但又不愿意放弃它们,这将是一剂致命的毒药,会打乱他的基本平衡。父母很乐意看到孩子保存自己的财产,他们认为这是人的一种本性,是社会的一个重要因素。具有占有欲和收藏习惯的儿童是能够得到普通人的承认和理解的。

支配欲

另一种与占有欲相关的偏离正轨的思想是支配欲。在想支配环境的本能中可以发现一种力量，它通过对环境的热爱进而想占有外界的环境。但是，如果这种力量不是心理发展的自然产物就会发生转向，发展成为贪婪。

一个不正常的儿童，当感到一个他认为强有力的、无所不能的人在场时，他就自我感觉良好。这类儿童认识到，如果他能利用成人的能力，他自己的能力也会增加。他开始利用成人的帮助来做他力所不能及的事情。这种做法是完全可以理解的，它还潜移默化地影响着所有的儿童，以至于儿童认为这样做是理所应当的，尽管这种做法很难得到纠正。实际上，这是儿童所采用的一个典型策略。一个软弱、无助的儿童认为这样做是再自然、再合理不过的了。他一旦发现可以利用另一个强有力的人，他就会这样做。他开始提出成人认为是不合理的要求。事实上，他的欲望是无止境的。对一个富有想象力的儿童来说，成人是万能的，能够满足他最奢侈和变化无常的愿望。神话故事中就有类似的情形，儿童幼小的心灵被这种故事深深地吸引了。儿童高兴地感到，神话故事中也描写了他模糊的愿望。故事中的人物从仙女那里得到了人力无法企及的财富和恩惠。这些仙女有好的和坏的，有美丽的和丑陋的。她们是儿童的想象，儿童把生活在他周围的成人想象成仙女。有像祖母一样年老的仙女和像母亲般年轻美丽的仙女。有些仙女衣衫褴褛，而有些仙女则衣着华丽，披金戴银。这正如有的母亲贫穷而有的母亲富裕一样，但是，她们都能同样宠爱自己的孩子。

与儿童相比，一个成人无论高矮，胖瘦，都是一个强有力的人。儿童依据自己的梦想开始支配成人。一开始，当成人看到自己给儿童带来幸福时，就会非常高兴，但后来他终将会为一次次的让步付出代价。儿童在得到了最初的胜利之后，就期待着第二个胜利。成人做出的让步越多，儿童就越渴望得到更多的东西。最终，成人不断满足儿童欲望的错误做法，酿成了苦果。因为成人能满足儿童的物质需要是有限的，而想象力却可以无边无际，最后二者将会产生抵触和剧烈的冲突。儿童的任性成了成人的灾难，成人突然意识到他错了，并说："我宠坏了我的孩子。"

即使一个顺从的孩子也有他自己征服成人的方法。他通过用情感、眼泪、恳求、忧郁的眼神，甚至通过他的自然魅力来获胜。成人会向这种儿童屈服，直到他无法给予更多的东西，然后儿童会感受到痛苦，这种痛苦将导致形式各异的偏离正轨。这个成人终于感觉和认识到，他自己的所作所为是导致儿童有缺陷的根源，并开始寻找解决这一问题的方法。

但是，我们知道，很难找到纠正儿童任性的方法。规劝和惩罚都没有效果。这就好像对一个因发高烧而神志不清的人说，你必须退烧，如果不退烧就会挨凑一样。是的，当儿童屈服于成人时，这表明成人已经不娇惯孩子了，但是，这时他却阻碍了他的发展，并使他的自然发展走入了歧途。

自卑感

成人并没有意识到他对儿童表现了轻视。虽然一位父亲可能相信他的小孩漂亮完美，虽然他可能会以他的孩子为自豪，并对孩子的未来寄予厚望，但是，有一种神秘的力量支配着他的言行，似乎表现出对孩子的不信任，并且认为孩子是"一无所知"和"有缺点"的，因此需要对他们进行灌输和纠正。这种模糊的看法使成人轻视儿童。他把眼前这个弱小的儿童视为自己的附属品，并且按自己喜欢的方式来对待他。他认为在成人面前是可耻的言行，却能毫无顾忌地在孩子面前表现出来。在家庭中，他在父亲权威的伪装下变得贪婪和暴虐，这使他不断地伤害儿童的自尊。例如，当一个成人看见儿童端着一杯水，他就开始害怕杯子被摔破，当他一想到这里时，他的贪婪就使他把杯子看成是一件宝贝，并从儿童的手中拿过来。这样做的成人也许很富有,并且想不断积聚财富,好让他的儿子比自己更富有。但是,在那一时刻,他却会认为一只杯子比他孩子的活动更有价值,并且力图防止它被摔碎。他在心里想:"为什么孩子要这样放杯子,而我却用另一种方式呢?难道我不能按我喜欢的方式放杯子吗?"然而,还是这个人,他也能高兴地为孩子做任何牺牲。他梦想着孩子的成功。他希望能看到,他的孩子将来会成为一个著名的、有权有势的人。但在他看到孩子拿杯子的时候,却被一种权威和暴力的冲动所支配,使他把精力浪费在保护一件微不足道的东西上。事实上,如果一个仆人也像他孩子那样端杯子,这位父亲只会淡淡地一笑;如果一个客人摔坏了这只杯子,他会立即说,这只杯子是不值钱的,并且不会把这件事放在心上。

因此,儿童肯定会有一种持续的挫折感,并注意到自己是唯一被认为靠不住的人、捅乱子的人。这样,他会把自己看做是一个无能的人,自己还不如禁止他碰的东西宝贵。

我们必须改变一些做法。如果儿童要发展他的内心生活,人们不仅应该允许他碰各种东西,用这些东西来工作,并且还应让他使用一种合理和始终如一的方式去做。所有这一切对儿童人格的发展极为重要。成人已经不再注意他日常生活习惯性的行为了,因为这已经成为了他生活方式的一部分。当一个成人早晨起床时,他知道他必须做什么,并履行他的日常行动,似乎这么做是世界上最简单的事。他的动作先后几乎是自动的,正如他呼吸空气或无需特别关注他的心脏搏动一样。

而儿童必须形成他自己的行为习惯。但是,人们却从来也没有充分尊重他连续的行为过程。有时,儿童正在游戏,成人就会打断他,认为散步的时间到了,这个小孩就会被打扮一番带出去。或者,儿童正在从事一项工作,例如把石块装进桶里,这时他母亲的一位朋友来访,于是母亲就会打断这个小孩的工作带他去见客人。成人会不断地打扰儿童,突然地闯进儿童的环境中去。这个强有力的人,从来不跟儿童商量就指挥他的生活。由于成人没有考虑到儿童的需要,这使儿童认为自己的活动是毫无价值的。但是与此相反,当儿童看到成人之间在讲话,即使是仆人,他在打断他们讲话之前也一定会说声:"如果你愿意的话"或者"如果你可以的话"。结果,儿童感到自己与其他人不同,自己是没有价值的,应该服从所有的人。

正如我们已经注意到的,行为的连贯性取决于心中已经设想好的计划,这对儿童的发展是极为重要的。总有一天,成人会告诉儿童,他应该对自己的行为负责。这种责任感的产生,有赖于能够透彻理解各种行为的关系,并正确判断它的意义所在。但是,儿童却只感到他所做的每一件事都是没有意义的。一位父亲如果因为没能成功地唤起儿子的责任感和自我控制而难过,那么他恰恰就是破坏孩子对自己行为的连续感和自尊感的人。这个儿童的内心有一个不为人知的信念,即认为自己是笨拙和无能的。然而,在任何人能够承担责任之前,他必须坚信他是自己行为的主人,并对自己充满信心。

一个人沮丧的最大根源是他相信自己没有能力做某些事情。如果一个瘫痪的人必须跟一个完全健康的人赛跑,他一定不会希望进行这场比赛。一个普通的市民也不会愿意跟职业拳击手比试拳击。甚至在他比赛之前,一种不能获胜的感觉已经使他失去了比赛的勇气。由于成人不断的羞辱儿童,使他感到自己软弱,从而压抑了儿童的行动欲望。但是,成人并不仅仅满足于阻止儿童的活动,他还会不断地对儿童说:“你不能做那件事,即使只是尝试一下对你也毫无意义。”如果这个成人是粗暴的,他甚至会说:“你这个傻瓜,你在做什么呢?你难道不知道你不能做那件事吗?”成人的这种做法不仅阻碍了儿童的工作,打断了他行为的连续性,而且还是对儿童的一种侮辱。

这使儿童相信,不仅他们的行为是没有价值的,而且他本人也是无能和笨拙的。这种信念也是没有勇气和缺乏自信的源泉。就一个成人来说,如果有一个比他更强硬的人阻止他所要做的事,他至少还可以设想将来还会有另一个比我们软弱的人,他不会阻止我做我喜欢的事。但如果一个成人使儿童相信他自己是无能的,那么乌云就会笼罩他的心灵,这个儿童就会陷入冷漠和恐惧之中。当这种情况发生时,儿童的内心就形成了一种称作“自卑感”的障碍。这种障碍可能深深地扎根在他心中,使他觉得自己无能或比别人差。这将使他的生活陷入无休止的冲突中去。

自卑感能导致许多痛苦。例如,胆怯、作决定时迟疑不定、面临困难或批评就退缩、经常流泪、绝望的神态,等等。

与此相反,一个“正常”的儿童最显著的特征之一就是,他的自信和对自己的行为有把握。

在圣罗伦佐儿童之家的小男孩告诉失望的参观者,虽然教师放假不在,但儿童们可以自己打开教室门进行工作。这时他表现了完美的个性,这种个性不是傲慢的,而是出于对自己潜力的了解。这个男孩知道他正在做什么事,并完成了带领来访者参观的每一个步骤,而且丝毫没有感到他做了任何特殊的事。

还有一个小男孩,当他正用活动字母拼字时,意大利皇后来到了他面前,要求他拼出“意大利万岁!”,但他却丝毫没有被打扰。当这个儿童听到这个要求后,他就把正在用来拼写的字母放回原来的位置。他平静地做着,似乎只有他一个人。虽然出于对意大利皇后的尊重,我们希望他暂时停下这项工作,去执行她的命令。但他在拼写新词之前,必须把已经使用过的字母放回到它们应放的地方。当他做完这项工作之后,就用字母拼出了“意大利万岁!”这几个字。这个小家伙只有4岁,但实际上,他在控制行为和情感以及对环境的自信上,已经是个小大人了。

恐惧

人们认为恐惧对儿童来说是正常的,但实际上它也是一种偏离正轨的心理。人们还认为它只是儿童内心深处的心理失调,与儿童所处的环境无关。换句话说,他们认为恐惧就像羞怯一样,是儿童性格的一部分。有些儿童是如此的畏缩,似乎他们正笼罩在一种恐惧感之中。然而,还有一些儿童,他们勇敢,富有活力,常常有勇气面对危险,但他们有时也会害怕一些他们认为是神秘的、不合逻辑的和无法战胜的东西。这种态度也许产生于过去看到的一些印象强烈的东西。儿童很可能害怕过马路,或者害怕床底下有猫,或者害怕看到鸡。这类的害怕很像精神病专家在成人中所发现的病态恐惧症。这种情况在依赖成人的儿童身上特别容易发现。成人可能利用儿童的无知,用模糊的恐惧吓唬他,使他服从自己的命令。这是成人对付儿童的最坏的手段之一。因为这种手段利用到处存在的可怕形象,加深了儿童对黑暗天生的恐惧。

任何可能使儿童接触现实、体验和理解他环境的东西,都将有助于他摆脱这种紊乱的恐惧心理。我们开办的使儿童正常化的学校所取得的最初的成果之一,就是消除潜意识中的恐惧。一个西班牙人的家里有 4 个女儿,其中最小的女儿就在我们的学校里上学。每当夜晚有雷雨时,她是这些孩子中唯一不害怕的一个。她会把姐姐们带到父母的房间里,在那里她们能得到保护。她是那些饱受恐惧折磨的姐姐们的真正支柱。每当她们在黑暗中感到害怕时,她们就赶快跑到妹妹的身边,以便摆脱焦虑。

"恐惧的心态", 不同于面临危险时出于自我保护的本能所产生的畏惧。儿童比成年人更少出现畏惧心理,这并不仅仅是因为儿童比成人面临的危险少。对此我们甚至可以这样说,儿童能自然地面对危险,他们能比成人更迅速地做到这一点。事实上,儿童常常给自己设置危险。街上的流浪儿会偷窃汽车或卡车中乘客的钱,乡村儿童会爬到树上或从陡坡上冲下来。他们还能跳进海里或河里自学游泳。他们的英勇行为还表现在无数次拯救或试图拯救他们的同伴中。例如,加利福尼亚一家儿童医院的盲童病房着火了,在这些儿童中,有一些是能看见东西的。虽然他们生活在大楼的另一部分,但他们还是冲进大火去救助那些盲童。我们几乎每天都可以从报纸和杂志上读到一些青少年的英雄事迹。

可能人们会提出这样的问题, 正常化的儿童是否赞成这种英雄主义倾向。我们学校中没有一个儿童表现出任何英雄主义行为,虽然他们暂时还没有表现这种崇高的愿望的机会。通常我们学校的孩子具有一种"谨慎"心理,这使他们能避免危险,也使他们与危险共存。他们能够使用桌上甚至厨房里的小刀,用火柴点火乃至燃起较大的火,能够独自站在水池边,穿越城市马路。我们的儿童已经学会了如何控制自己的行为,避免了急躁。这使他们能过一种更崇高、更平静的生活。因此,正常化不是把自己置于危险中,而是获得一种谨慎,这种谨慎使他能意识到危险并控制危险,进而即使在危险的境遇中也能生存。

说谎

偏离正轨的心灵，就像枝繁叶茂的植物，能朝四面八方伸展出去。但是，这些枝干都来自同一个深埋在地下的根，只有在那里，才能找到正常化的秘密。教育上存在着一个常见的错误，就是把各种偏离正轨的心理看做是互不相关的。

说谎是最严重的错误之一。欺骗是一种隐藏心灵的外套，甚至可以把它比作一个人的全部服装，这样它就有许许多多的伪装。谎言有各种各样的类型，每种类型都有它自身的意义和重要性。其中有些谎言是正常的，也有许多是病态的。本世纪的精神病学家对患有歇斯底里的人那不由自主的谎言十分感兴趣。这种人中说谎言的比例极高，甚至所说的每一句都是谎言。人们还注意到青少年法庭上儿童的谎言，以及儿童被传唤作证时说谎的可能性。由于儿童"心灵的纯洁"，他们在真诚的伪装下说假话时，显得难以平静。对这种现象的进一步研究表明，这些儿童实际上想讲真话，他们的谎言是由于心理的紊乱，而且这种紊乱由于他们情绪的波动进一步加剧了。

这种隐瞒真相的欺骗，不管是经常性的还是偶然的，都与儿童有意用来自我保护的谎言无关。正常儿童在日常生活环境中也会说这类谎言。谎言可能起源于儿童为描述某种东西而产生的幻想，这一类虚构可能是对其他人认为是真实的东西添枝加叶，尽管这种谎言不是为了个人利益或为说谎而说谎。它可能是采用了一种艺术的形式，就像一个演员把自己投入到角色中去一样。例如，有一些儿童告诉我，他们的母亲会给她邀请的客人做她自己调制的蔬菜汁。这种饮料不仅有益健康，而且美味可口，这位客人说他以前从未尝过如此好喝的东西。这个故事听起来十分有趣和详细，诱使我专门去请教这些儿童的母亲究竟是如何制作这种饮料的。但是，她却对我说她从来没有做过这类东西。这就是儿童在谎言中表现出想象力和创造力的实例，他除了编造故事之外没有任何其他意图。这种谎言与儿童因为懒惰和不愿探索真知而说的谎不同。

然而，有时候谎言可能是巧妙推理的产物。我认识一个5岁的小男孩，他母亲把他临时寄托在一所寄宿学校里。负责他和其他孩子的保育员非常胜任这项工作，并且对这个临时寄宿的孩子格外关心。一段时间以后，这个小男孩开始向母亲抱怨这个保育员，说她十分严厉。她母亲就到这所学校的校长那里去询问，后来她得到证实，这个保育员对她儿子很慈爱并且经常关照他。当这位母亲问她儿子为什么要撒谎时，他回答说："我不能说那位校长坏。"他这样做并不是因为没有勇气指责校长，而是他屈服于传统的势力。在儿童适应环境方面，还有很多类似的采用狡猾手段的例子。

相反，软弱和怯懦的儿童是出于一时的冲动而编造谎言的。这种谎言没有经过仔细推敲，只是一种防御性的条件反射。这些临时编造的谎言天真无邪，通常是十分明显的。

教师只知道与这种谎言作斗争，却忘了这种谎言背后的原因。它们只是儿童面对成人攻势所做的自我保护。但是这种说谎的儿童却会因为软弱、无耻和不能做他们应该做的事而受到责备。

欺骗，是在儿童时期出现的一种智能现象，它随着儿童的成熟会变得条理化。它在人类社会中起着非常重要的作用，就好像人们的衣服是不可缺少的、甚至是美丽的。我们学校的儿童，能放弃这种被歪曲了的认识，并表现出自然和真诚。然而说谎并不是可以奇迹般消失的，它需要的是改造，而不是转变。清晰的思想、跟现实的接触、精神自由以及对善和崇高的向往，都可以为改造儿童的心灵提供帮助。

社会生活陷入了一种虚伪的氛围中，以至于如果试图纠正它，社会就会陷入混乱的状态中。许多离开了儿童之家进入高一级学校的儿童，一直被认为是不礼貌和不服从的。这只是因为他们比其他儿童更加真诚，还没有学会必要的妥协。他们的教师不承认这个事实。普通学校的训练和规范跟社会上的训练和规范一样充满欺骗，这些教师从来没有见过像我们学校儿童表现出来的真诚，他们把这种真诚当作破坏对其他儿童教育的一个因素。

心理分析学家对人类心灵史最杰出的贡献之一，就是对潜意识的隐瞒作了解释。成人的羞耻心和非儿童式的虚构，构成了人类生活中可怕的谎言。它们就像动物的毛皮或鸟类的羽绒，覆盖、装饰和保护着隐藏起来的重要信念。隐瞒，即隐藏自己的真情实感，是一个人在自身当中建构起的谎言，由此他才能生活，或者更确切地说，使他生存在一个跟他的自然情感不一致的世界中。由于他无法长时间地与社会力量斗争，就只好向社会妥协了。

成人最显著的隐瞒之一就是虚伪地对待儿童。成人为了自己的利益而牺牲儿童的需要，但是他拒绝承认这个事实，因为这是不可容忍的。他使自己相信，他正在履行一种天赋的权力，他所做的一切都是为了儿童的将来。当儿童试图保护自己时，成人并不思考这究竟是怎么一回事，而是断定儿童为保护自己所做的任何事都是一种反抗，都是错误的倾向。成人拥有的真理和正义已经越来越微弱，它们被一种虚假的习惯所代替，即他正在根据自己的权利和义务等去谨慎行事。成人的心已变得冷若冰霜，只会像水晶一样偶尔闪烁一下。它像铁石一般比任何东西都坚硬。“我的心硬得像石块；我用手击打它，受伤的却是我的手。”但丁在地狱篇中做了一个精妙的比喻，他把恨比成了固化的冰。心中的爱和恨可以比做液态的水和固态的冰。隐瞒一个人的真情实感是一种精神的谎言，有助于他向虚伪的社会进行妥协，但是渐渐地它会从爱转变为恨。这是潜意识深处最可怕的谎言。

PART 24

心理与身体健康

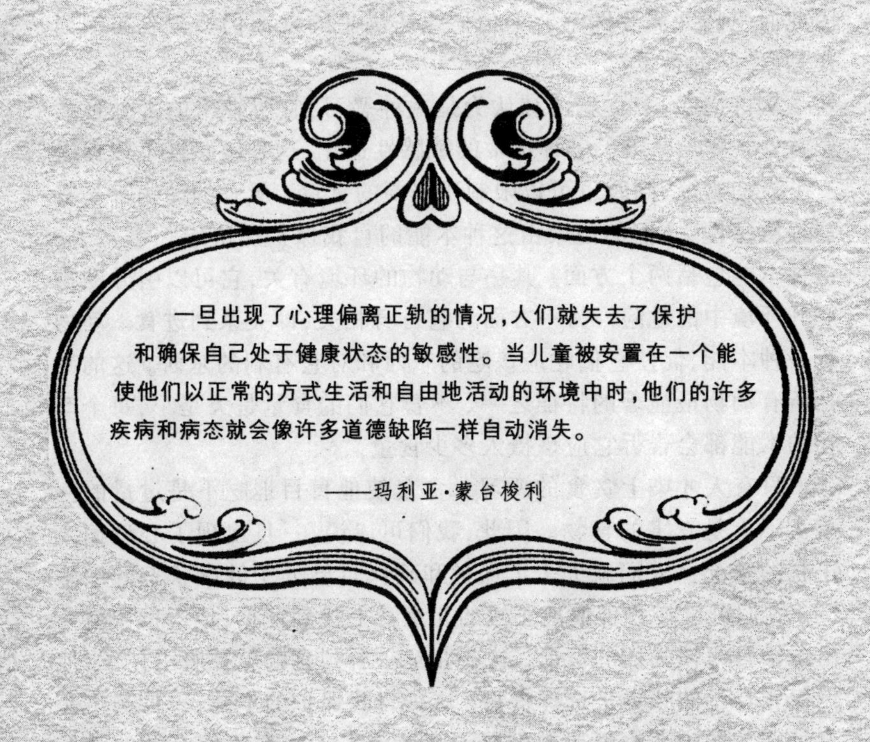

心理偏离正轨会引起各种各样的情况。它们能影响身体功能的发挥,其中有些影响看起来是不相关的。现代医学已经彻底研究并证实了心理失调能引起许多身体疾病。甚至某些似乎只与身体状态密切相关的缺陷,最终也是由心理问题引起的。例如,有一种叫做消化不良的患疾,在儿童中是特别普遍的。活泼、强壮的儿童容易无法节制他们的食欲,这些儿童吃了过量的食物。尽管他们会因此而生病并需要医治,但他们无法满足的食欲仍然很容易被当作是“良好的食欲”。

从古代起,贪食就已被认为是一种恶习,它所带来的害处远大于益处。贪吃导致了一种正常的敏感性退化,这种敏感性可以促进一个人的食欲,同时也可以限制所需要的食量。所有的动物都具有这种敏感性,它们的健康由这种本能的自我保护所决定。事实上,这种本能包括两个方面。其一与动物的环境有关,它可以引导动物躲开环境中的危险。另一方面与它自身相关,即关系到进食。动物有一种本能,促使它们吃应该吃的东西和对它有利的东西。这的确是所有动物最显著的特征之一。不管它们的食量是大是小,每个动物的本能都会告诉它应该摄入多少食量。

只有人才染上贪食的恶习,贪食使他盲目地吃下是过量的甚至实际上是有害的食物。因此,我们可以说,一旦出现了心理偏离正轨的情况,人们就失去了保护和确保自己处于健康状态的敏感性。我们可以在心理偏离正轨的儿童身上找到证据,他们很快就会出现饮食习惯失衡的情况。这些儿童一看到食物就被吸引住了,他们仅凭自己的味觉来选择食物。这种自我保护的本能,一种与生命息息相关的内部力量,被削弱了甚至消失了。在我们开办的学校里,使儿童恢复正常化的最惊人的事情之一,就是使儿童的心理不再偏离正轨,让他们处于正常的状态中,这样他们就不再贪吃了。

他们开始对如何用正确的姿势吃饭感兴趣了。每到吃饭的时候,年纪较小的儿童把他们的时间全花在了正确地铺餐巾，盯着他们的刀、叉、匙,并努力回想正确使用这些东西的方法上了,或者去帮助那些比他们年纪更小的伙伴。有时候,他们对这些事情是如此的细心,以致放在他们面前的美味食物变凉了他们都没察觉。那些没有被选中帮助上菜的儿童就会显得不太高兴:“他们很想去帮助上菜,但却发现自己只被安排了一项轻松的工作,即吃饭。”

儿童的谦让态度，也可以证明饮食和个人心理状态之间的关系。这种儿童对食物常常表现出明显的和抑制不住的厌恶感。许多儿童拒绝吃任何东西,他们的拒绝有时是如此坚决,以致给家庭和寄宿学校带来了很大的困难。这种情况在为贫穷、弱小的儿童开设的教育机构中特别突出。人们希望他们在愿意吃的时候就可以吃饱。对食物缺乏兴趣,通常会使儿童处于一种抵制治疗的状态中。但是，对进食的这种抵触不应与导致儿童没有食欲的身体失调相混淆。相反,儿童拒绝吃东西是由于他们的心理状态。在某些情况下,这很可能是由于一种自我保护机制引起的。例如,一个成人试图使这个儿童吃得快一点,但儿童有他自己的进食节律,因此拒绝接受成人的节律。儿科医生现在已经承认了这个事实。他们发现,儿童并不是把他们想吃的东西立即吃完，而是会在相当长的一段时间里停下来不吃东西。

在断奶之前的婴儿身上可以发现同样的情况。他们在吃饱之前会停下来不吸奶嘴,这仅仅是为了休息一下,然后再用一种缓慢的、间歇的节奏吃奶。因此,儿童拒绝吃东西,也许是他保护自己的一种方式,以此来向强制他用自己的节律进食的成人表示抗议。然而，还有一些情况完全不同于以上情况，我们必须把它们区别开来,并单独去寻找导致这些情况的原因。这类儿童长时期的缺乏食欲,他们脸色苍白得令人绝望,他们缺乏户外的新鲜空气,也许阳光和海边的环境能治愈他们对食物的习惯性抵触。然而,还有一些情况完全不同于以上的情况,我们必须把它们区别开来,并单独去寻找导致这些情况的原因。这类儿童长时期缺乏食欲。他们脸色苍白得令人绝望,他们缺乏户外的新鲜空气,也许阳光和海边的环境能治愈他们对食物的习惯性抵触。然而,根据进一步的调查,我们发现,在这样的小孩身边,有一个他极端依赖的成人,而这个成人完全支配了他的行动。只有一种方法可以治愈这样的儿童,那就是让抑制他的这个成人离开,并给他提供一个环境,在那里他可以自由地发挥主动性。

一个人心理和身体之间的联系是可以看出来的,尽管身体现象,例如进食,似乎跟它无关。在《旧约全书》中,我们可以读到以扫由于贪吃而把他的出生权让给了他的兄弟,愚蠢地放弃了自己最大的利益。贪吃,确实应该被列为“扰乱心智”的罪恶之一。我们有趣地发现,托马斯·阿奎那指出了贪吃和智力之间的关系。他坚持认为,贪吃会削减一个人的判断力,并因此使他无法正确认识现实。但是,贪吃与判断力的因果关系恰好与此相反,是心理紊乱引起了贪吃。

基督教把这种恶习与精神失调紧密地联系了起来,并把它列为基本的罪恶之一,因为它导致了心灵的不健全,导致了心灵背离人类神秘的法则。心理分析学家已经进一步地间接证实了我们的理论,即贪吃是自我保护能力衰退的一种表现。但是,现代科学是用一种不同的方法对它进行解释,把它称作一种“死亡本能”。这是因为,人有一种自然的倾向,它能帮助和促进死亡的自然到来,甚至加速它就会导致自杀。有人很可能绝望地把自己依赖于诸如酒精、鸦片和海洛因等毒品。他不是想挽留或拯救生命,而是倾心于死亡,希望自己死亡。所有这一切不是确切地表明一种能保护人体的、重要的内在敏感性消失了吗?如果这种倾向与不可避免的死亡有关的话,那么它应在所有的动物身上都有所体现。但是,由于我们并没有在所有的动物上都发现这一点,所以我们必须说,每一种心理的偏离正轨都可能使人走向死亡,这种可怕的倾向,甚至早在童年时期就以一种几乎很难察觉的状态存在着。

人们在疾病的背后总能找到某些心理因素,因为人的身体和精神之间的联系是非常紧密的。但是,饮食的失调会给各种疾病打开方便之门。有时候,一个人可能只是做出生病的样子,实际上这种病是他想象出来的,是他的心理作用。心理分析学家为人们理解这种病做出了巨大的贡献,并向人们指出,一个人可能在疾病中找到一处庇护所。这种逃避并不是没有一点原因的。当一个人的体温偏高或功能失调时,就会发生这种情况,有时甚至显得很严重。然而,他并没有真的得病。潜意识的心理紊乱导致了这种病症,他成功地支配了一个人的生理规律。这个人能够借助这些疾病去摆脱不愉快的处境或职责。这类疾病抵制所有的治疗,只有当他逃脱了让他不愉快的处境时,这些疾病才会消失。当儿童被安置在一个能使他们以正常的方式生活和自由地活动的环境中时,他们的许多疾病和病态就会像许多道德缺陷一样自动消失。现在,许多小儿科专家把我们学校看做是“健康之家”。他们把患有功能性疾病、抵制一般治疗的儿童送到我们的学校中去,并由此获得了惊人的治疗效果。

PART 25

成人与儿童间的矛盾

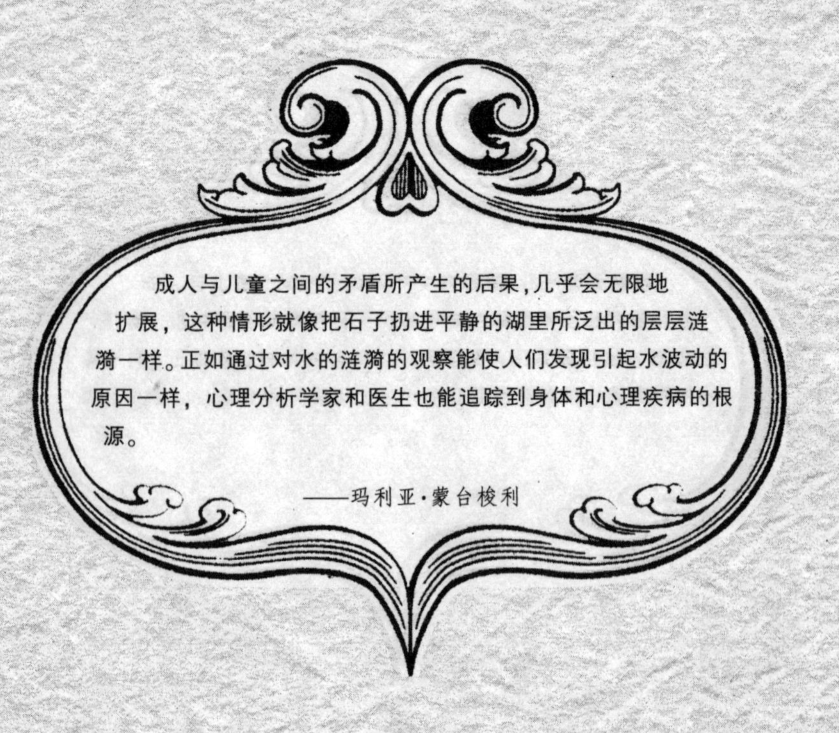

成人与儿童之间的矛盾所产生的后果,几乎会无限地扩展，这种情形就像把石子扔进平静的湖里所泛出的层层涟漪一样。正如通过对水的涟漪的观察能使人们发现引起水波动的原因一样，心理分析学家和医生也能追踪到身体和心理疾病的根源。

——玛利亚·蒙台梭利

成人与儿童之间的矛盾所产生的后果，几乎会无限地扩展，这种情形就像把石子扔进平静的湖里所泛出的层层涟漪一样。

正如通过对水的涟漪的观察能使人们发现引起水波动的原因一样，心理分析学家和医生也能追踪到身体和心理疾病的根源。但是，他们在探究心理疾病的根源时，肯定要经过漫长的旅程。他们就像尼罗河最早的探险家一样，必须跋涉几千英里，穿越巨大的瀑布，才能到达这条河的发源地——平静的湖泊。要探索人的心灵弱点和疾病的科学家，也必须走到直接原因的背后，越过已知的东西，最终到达最初的源头，那个平静的湖泊，即儿童的身体和心灵。但是，如果我们对最早的、从原始社会写起的人类历史感兴趣，我们也可以从童年时期的平静湖泊开始，遵循生命的富有戏剧性的进程去探索。大水从源头奔流直下，从一个瀑布到另一个瀑布，它无拘无束，直到它走到流程的终点才停下来。

如果折磨成人的身体、心理和神经的疾病，可以追溯到童年时期，那么，在儿童生活中我们就可以发现这些疾病的最初症状。另外，我们还要记住，每一种严重和明显的疾病都伴随着许多较轻的疾病。病愈的人要比病死的人多。如果得病意味着一个人丧失了抵抗疾病的能力，那么这个人还应预料到同种类型的抗病能力也会丧失。

有无数的东西可以引起一个人身体和心理健康的崩溃。当我们检查水是否可以饮用时，只要提取一小部分水样就可以了。如果发现水样被污染了，那就可以断言整个水域都被污染了。与此类似的是，当我们看到大量的人由于他们自身的错误而备受痛苦煎熬时，我们也可以断言整个人类也在被某种根本性的错误折磨着。

人们很早以前就有这种认识了。在摩西时代人们就已经知道，第一个人犯了罪过，他的罪行会对整个人类社会造成破坏。对于那些不懂得罪恶本质的人，原罪似乎是不公正、不合理的。因为它使亚当的所有子孙后代都有罪。然而，我们却可以亲眼看到无辜的儿童受着惩罚，他们在自然成长的过程中，承受着数世纪以来错误不断传承的致命后果。这些错误的根源，可以在人类生活的基本矛盾中找到，它们虽然还没有被充分挖掘出来，却非常重要。

PART 26

工作的本能

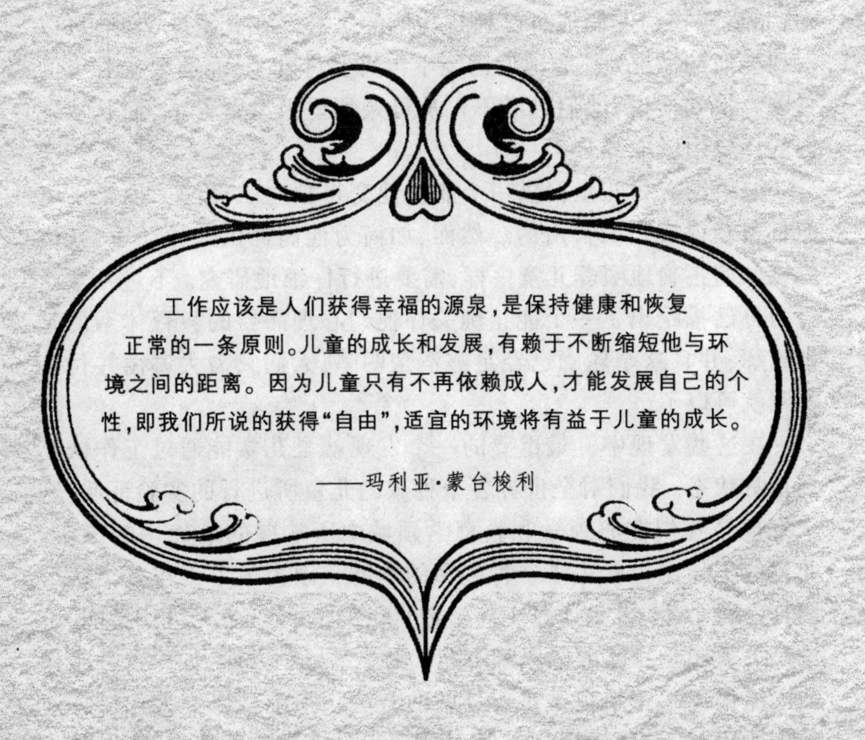

工作应该是人们获得幸福的源泉，是保持健康和恢复正常的一条原则。儿童的成长和发展，有赖于不断缩短他与环境之间的距离。因为儿童只有不再依赖成人，才能发展自己的个性，即我们所说的获得“自由”，适宜的环境将有益于儿童的成长。

——玛利亚·蒙台梭利

在找到这些新的发现之前，人们完全不清楚支配儿童心理发展的规律。但是现在，这种对“敏感期”的研究，似乎已经成为研究人类的学科中最重要的一门。

儿童的成长和发展，有赖于不断缩短他与环境之间的距离。这是因为，儿童只有不再依赖成人，才能发展自己的个性，即我们所说的获得“自由”。适宜的环境将有益于儿童的成长。在这样的环境中，儿童能找到发展他自己独特功能的工具。在儿童断奶时，可以发现类似的情况。那时他们已经不再需要母乳了，而需要吃谷类的食物。换句话说，他们已经不再从母亲那里汲取营养了，而是从他们的环境中汲取养分。

如果没有为儿童提供一个能使他变得独立的环境，他是不可能日益获得成长的自由的。然而，如何为他们提供这种环境，就像应该如何正确地喂养儿童一样，需要进行仔细地研究。不过儿童已经为自己描绘出了一个能正确关怀他们心理需要的教育体系的基本轮廓，并且这个轮廓已经足够清楚明了，人们只需去遵循并付诸实践就可以了。

在这些发现中，最重要的一个发现就是儿童能通过工作恢复到正常状态。我们对全世界各个种族的儿童所进行的实验证明，这个发现是我们在心理学和教育学领域中所掌握的最确切的事实。儿童的工作愿望代表了一种生命的本能，因为他不工作就无法形成自己的个性。人是通过工作塑造自己的。工作，是无可代替的，不论是关爱还是身体的健康都不能代替它。另一方面，如果这种工作的本能偏离了正轨也很难有补救的方法，不论是以别人作榜样还是用惩罚都不起作用。人是通过用双手的劳动来塑造自我的，他把手当作一种表现个性的工具，用手来表达自己的智慧和意愿，这一切都有助于他去征服自己的环境。儿童具有工作本能，这也足以证明人类有此本能并以此为特征。

工作，应该是人们获得幸福的源泉，是保持健康和恢复正常(对儿童来说)的一条原则。然而，为什么成人一直反对工作，并仅仅把它当作是只能带来不愉快的东西呢？这可能是因为整个社会都没有工作的正确动机。这种意义深远的工作本能作为一种退化了的特征仍然藏于人们心中，它只是被人们的占有欲、权力欲、冷漠和依附引入歧途了。在这种情况下，工作只能依赖于外界的环境，或成为那些对工作没有正确认识的人们相互竞争的手段。工作因此而成为强制性的劳动，这样，工作反过来又成为人们的心理障碍。这就是为什么人们会觉得工作是艰难的和令人厌恶的原因。

但是，当人们处于有利的环境中时，工作就会成为内动力并自然地表现出来，即使是成人也会有完全不同于上面所阐述的表现。在这种情况下，工作变得让人着迷、不可抗拒，并能使一个人超越自我。我们可以从发明家的辛勤工作、探险家的发现和美术家的绘画中发现这一点。当一个人处于这种工作的激情中时，他就会拥有非凡的力量，并能再次体验到能使他表现自己个性的天赋本能。这种热爱工作的本能就像从地下喷射出的激流，能使人类呈现出焕然一新的面貌。这是人类文明发展的真正源泉，因为人有一种天赋的工作本能，并能通过工作使他们的生存环境得以完善。工作是人的特征，人类文明的进步和生存环境的更加轻松、舒适，都与人发挥出这种工作的本能直接相关。

在这种环境中，人们开辟了一条自然的生活道路。然而，他们所创造的这个新环境，不能再称之为人为的环境。由于这个环境是超越了自然而不是代替了自然，所以也许最好称之为超自然的环境。人们已经越来越习惯于这种超自然的生活方式，以至于成了他们充满活力的因素。

在自然史中，我们注意到了一个缓慢的进化过程，即进化导致了新物种的产生。我们可以从两栖动物从海生到陆生的发展演化中看到这一点。与此类似的是，人类开始于一种自然的生活，但渐渐地为自己创造了一种超自然的环境。今天人们已不仅仅靠大自然提供的环境来生活了，而是充分利用了自然中可见和不可见的力量。

人类并不是仅仅从一个生存环境过渡到另一个生存环境,他还在不断地为自己建构新的环境,并且他已经非常依赖这个由他亲手创建的环境了,已经无法离开环境中的各种奇妙的发明创造了,因此人类的生活是需要他人帮助的。大自然并没有像帮助其他生物那样帮助人。鸟,可以找到现成的食物和用来筑巢的材料,但是人,必须从他人那里获得他所需要的东西。我们所有的人都相互依赖,我们每一个人也都应通过劳动,为我们生存的这个超自然的环境做出贡献。

虽然,人们之间是相互依赖的,但是一个人至少应该是他自己生活的主人,能够按自己的意愿去选择自己的生活。他并不直接地受自然变迁的影响。他与环境之间是有距离的,但每一个人却都毫无例外地受他人的影响,如果他周围的人的心理遭到扭曲,他所有的生活都将处于危险之中。

一个人的工作与处于正常化状态之间的紧密联系,就是人具有天赋工作本能的最好证明。大自然促使人类依靠自己建造某些东西来表现自己的存在,进而表现出造物的最终目的。确实,如果认为人类不能分享宇宙的和谐,这将是不可思议的,因为所有的生物都能凭着他所属物种的本能,对宇宙做出各自的贡献。珊瑚通过改变不停地被波浪冲蚀的海岸,形成了岛屿和陆地。昆虫把花粉从一朵花带到另一朵花上,使植物得以自我繁殖。秃鹰和豺狗是清除地面上暴露的死尸的清洁工。有的动物除去地球上的废物,其他的动物则产生出有用的东西,如蜂蜜、蜡、丝等等。

生物就像大气层一样围绕着地球,每一种生物为了能生存、繁衍,都需要依赖其他的生物。事情的确如此。所有生存在地球上的生物,今天已被看做是一个"生物圈"。生物不仅保护自身的存在,而且还为其物种的繁衍提供条件,所有的生物都在地球上和谐地工作着。动物生产出来的东西比它们实际需要的东西要多,这就产生了一种剩余,这种剩余远远超过了它们所要消耗的能量。因此,所有的生物都可以被看做是宇宙的工作者和自然规律的遵守者。人,作为优秀的工作者,也必须遵循这些普遍的规律。人们为自己构建了一个超自然的环境。由于人们在环境中生产出了丰富的产品,明显地超过了他们基本的生活需要,所以人类的活动也是遵循宇宙的秩序的。

人类所做的工作是否完美,不应该通过人们的需要来衡量。由于人们的心理严重地偏离正轨,他们与自己的人生目标就相分离了。如果儿童想健康茁壮地成长,就必须听从他的本能的指引。因而,儿童只有接受正常化的教育,才能成为优秀的人。

PART 27

两种不同的工作

尽管成人和儿童之间应该相互关爱、和谐地生活在一起，但他们却常常是不协调的。因为他们没有真正理解对方，这破坏了他们生活的基础。

儿童和成人的矛盾产生了许多不同的问题。有些问题显而易见与他们之间的矛盾有关。成人在生活中要完成复杂和高强度的工作。要让成人中断自己的工作去满足儿童的需要，使自己适应儿童的节奏和思想方式，对他们来说已经越来越困难。另一方面，儿童也无法适应成人日益复杂和节奏紧张的世界。我们可以回想起与当代的文明社会形成强烈对比的原始社会，在那里人们过着简朴和平静的生活，儿童也可以找到一个自然的避难所。在原始的社会中，儿童所接触到的成年人平静、安宁地从事着简单的劳动。儿童可以自由地触摸身边的家畜和其他东西。他可以自由地做自己的工作，而不用害怕遭到反对。当他感到疲倦时，就可以躺在树荫下睡觉。

但是，文明慢慢地把自然环境从儿童身边夺走。所有的一切都变得有条不紊、节奏迅速并且受到限制。不仅节奏加快的成人生活成为儿童的障碍，而且机器的出现也像旋风一样刮走了儿童最后的避难所。儿童不再进行应该做的自然活动。人们过多的照顾儿童，保护他们远离危险，这种情况正在愈演愈烈。这样做只能给儿童带来更多的害处。现在，儿童就像一个游离在世界之外的人，孤立无援并且没有自由。没有一个人想为儿童创造一个适宜的环境或为他们工作和活动的需要考虑。

由于成人和儿童都有各自的生活方式，因此我们必须相信存在两种截然不同的社会问题和两种基本上不相同的工作类型。

成人的工作

成人要履行自己的任务，即建立一个超自然的环境。他必须用他的智慧和行动上的努力去工作并取得成果，这是被整个社会和集体所公认的原则。

人们在从事工作时，必须遵循有组织的社会规范。这些规律是人们自愿遵循的，以达到共同目的。但是，除了那些由于不同地域和文化形成的社会规律之外，还有其他规律，它们从属于工作的本质。这种规律适用于所有的人和时代。在所有的生物中都可以发现的一个规律，就是劳动分工。这种分工对人类来说，也是必不可少的，因为他们不可能都生产同样的东西。还有另一条自然规律与具体某个人的工作有关，即效益规律。这条规律体现了人们希望用最少的劳动来取得最大成果的愿望。这是极为重要的一条规律。这条规律并不意味着人们不愿意工作，而是说明了人们想要事半功倍的心理。这条规律对于人们使用有助于人类劳动的机器工具也同样适用。

所有这些规律都是有效的，即使它们并不总能普遍适用。一个人由于拥有的物质财富有限但又想变得更富有，于是就产生了与他人竞争的想法。在野蛮的动物中也会发生类似的情况，它们也会为了生存而进行竞争。

除了这些自然的矛盾冲突之外，还有由于一个人心理偏离正轨而导致的其他冲突。其中之一是人们对财产的渴望，这并不是指一个人或整个人类对于物品的保管。因为这种对财产的渴望并不是人生来就有的，但却会像无底洞一样永远也填不满。还有一种偏离正轨的心理，即占有欲，它使人们之间由相互关爱发展成相互仇恨。当这种占有欲进入一个有组织的集体环境中时，它就不仅仅是一个人的障碍，而是这个集体共同工作的障碍。于是，剥削他人的劳动取代了劳动的自然分工。这种指导思想似乎对人们很合适，它在人们拥有各自权利的伪装下，把这种偏离正轨的思想作为社会的原则确立起来。这样,谬误战胜了真理,人们把它当作人类生活和道德之中必不可少的一部分。当所有的人都笼罩在一种悲剧性的阴影中时,人们就很难意识到他们都在受难,相反却认为它所带来的痛苦是不可避免的。

儿童是生活在成人之中的自然人。他发现自己处于一个格格不入的环境之中。他与成人的社会生活毫不相关。儿童的活动也与社会化的生产毫不相关。我们必须承认这个事实:儿童不可能参与成人的社会活动。如果我们把成人的工作比喻成用锤子敲打铁砧,那十分明显,儿童不可能从事这种工作。如果我们把脑力劳动比喻为科学家搞科研时所使用的精密仪器,那同样十分清楚,儿童不可能去使用它做出任何成绩。或者我们还可以把成人的工作想象成一个立法者正在拟定新的法律条款,儿童从来也不可能替代成人去完成这种工作。

儿童与成人有组织的社会是毫不相干的。儿童的"王国"肯定不是"成人的世界"。儿童对于成人建立在自然基础上的人为世界来说,是一个陌生人。儿童在成人的世界中是一个不合群的人,因为他不能适应这个社会,既不能对它的生产做出贡献,也不能对它的体系结构产生影响。更确切地说,他只是一个打扰社会秩序的人。儿童是不合群的,因为他只要出现在成人的周围,即使是在家中都会成为扰乱宁静的根源。儿童天生好动,并且总是活动个不停,这使他更加不适应成人的环境了。

成人倾向于压制儿童的活动。由于成人不希望儿童打搅他们,或使他们心烦,他们就试图让儿童变得老实些。成人把儿童送到托儿所或学校中。儿童仿佛是被成人流放到那些地方去的,直到他们长大成人不再会给成人增添烦恼。只有到了那时,儿童才会被社会接纳。在此之前,他必须像一个被剥夺了公民权的人那样服从成人的命令,并且不存在对这种命令的上诉。

儿童总是从一无所有开始,处于成人的管辖之内。成人与儿童相比,就像上帝一样伟大和强有力,儿童必须从他那里获得生活的必需品。成人成了儿童的创造者、统治者、监护人和恩人。没有任何人像儿童依赖成人那样完全依赖另一个人。

儿童的工作

儿童也是一个工作者和生产者。虽然他不能分担成人的工作，但也有自己的困难和重要的任务，那就是造就自我的任务。新生儿软弱无力，不能到处走动，但这个幼小的儿童终将长大成人。如果说成人经过无数智力的磨炼而变得足智多谋，那是因为他曾经是一个儿童。

是儿童经过漫长的时间塑造了成人。而一个成人却不能再进行类似的创造性工作。成人与被排除在成人超自然的世界之外的儿童相比，也更加明显地被排除在儿童的世界之外。儿童的工作与成人的工作截然不同，甚至可以说是相反的。儿童的工作是在儿童的心力发展过程中的一种无意识的工作。这种创造性的工作，使人联想起《圣经》中对上帝造人的描述。但人究竟是怎样被造出来的呢？人来自一无所有，他是通过何种创造获得智慧和力量的呢？我们可以从每一个儿童身上看到这种惊人创造的所有细节。我们的眼睛每天都能看到这些奇迹的发生。

所有在上帝造人时发生的奇迹，都会在每一个新生儿身上再现出来。因此，我们可以说："儿童是成人之父。"成人所有的力量都来自于上帝赋予儿童所要完成的秘密使命。这使儿童成为了一个真正的工作者，但他不可能仅靠休息和思考而长大成人。相反，他一直在从事积极的工作，他是通过不断地工作进行创造的。我们还必须记住，儿童的工作环境也正是成人使用和改造的。儿童通过练习得以成长。他需要在外界环境中进行真正的创造性工作。

儿童的成长离不开做练习和运动。儿童在外界的环境中，不断协调自己的运动并且积累自己经历的情感。他以此来发展自己的智力。儿童勤奋地学习如何说话，并开始为能够开口说话做出不懈地努力。同时，儿童还不知疲倦地学会了如何站立和到处奔跑。在成长的过程中，儿童就像一个认真的学生一样遵循自己的发展计划，这就如同恒星也有自己的运行轨迹一样。事实上，我们可以预测儿童每一个发育阶段的身高状况，儿童的身高也会基本上符合人们的预测。我们还知道儿童在 5 岁时的智力水平和 8 岁时所达到的智力水平。因为儿童遵循大自然为他确定的成长计划，所以我们还可以预测到他 10 岁时的身高和智力水平。儿童通过不断地努力、积累经验、化解痛苦和成功地战胜考验与困难，使他的各种活动渐渐成熟完善起来。成人可以为儿童创造一个好的外界环境，但是儿童是自己完善自己的。儿童就像一个为达到目标而不断奔跑的人。因而，一个成人如果想完善自己，也应该像儿童一样付出自己的努力。

我们成人与儿童是相互联系的。就儿童的活动领域而言，成人是他们的子孙和依赖者；正如对成人的活动领域而言，儿童是成人的子孙和依赖者一样。成人是一个领域的主人，但在另一个领域中儿童是主人。儿童和成人都是国王，只不过他们是不同王国的统治者而已。

两种工作的比较

由于儿童的工作由行动和外界环境中实在的物体构成，因此我们可以对它们进行专门研究。我们通过对儿童工作起因和方式的调查研究，就可以对儿童的工作和成人的工作进行比较。但是，它们之间的相似是有限的，因为儿童和成人都有各自不同的工作目的，但是，二者都不直接清楚这个目的，这个目的也不以他们的意志为转移。所有的生物，甚至是植物，都需要借助外界环境来生存、发展。而生命本身也是一种能量，它能够通过不断地完善外界环境来不断补充自身的能量，并能持续发挥创造能力。例如，珊瑚虫从海水里提取碳酸钙来筑造保护自己的地方，这是它们活动的特殊目的。但是，在筑造的过程中，这些珊瑚虫还因此建成了陆地。它们并不是想达到这个最终目的而进行活动的，所以，我们可以抛开建成陆地的问题，来研究珊瑚虫和珊瑚礁。这种情况对所有的生物，尤其是人类来讲，都是一样的。

儿童所进行的创造性活动的最终目的,就是长大成人。这表明儿童有一个明确的和可见的最终目的。然而,尽管我们可以从儿童的身体细胞,到他无数工作的每个细节去对他进行研究,都无法从他的活动中观察出他要长大成人这个最终目的。

然而,生物活动的直接目的与最终目的相隔如此遥远,意味着工作要依赖环境。

大自然有时会用最简单的手段来揭示某些秘密。例如,我们可以在昆虫的工作中注意到它们的劳动产品。其中之一是蚕丝,人们把这种带着光泽的线织成贵重的织品。还有一个是蜘蛛的网,它由脆弱的丝组成,人们迫不及待地想破坏它。但是,丝是由没有发育成熟的蚕生产出来的,而蛛网是成年蜘蛛的产物。这一比较有助于使我们认识到,当我们讲到儿童的工作并把它与成人的工作相比较时,我们所讲的是两种真正的活动,但是这两种活动的目的却截然不同。

对我们来说,了解儿童工作的性质十分重要。当儿童工作时,他并没有怀着某种目的。他工作的目的就是工作本身。当他不断地重复一项练习时,并不是为了达到某种外在目的。就儿童个人而言,他停止工作也不是因为劳累,因为充满活力是儿童的特征。

这表明,在儿童和成人工作的自然规律之间存在着基本的差异。儿童并不遵循效益法则而是恰好相反。儿童没有任何外在的目的,却把大量的精力消耗在工作中,并在完成每个细节时运用了所有的潜能。所有外在的目的和行为只是偶然才会有重要性。而在环境和儿童内心生活的完善之间却有一个十分重要的关系。一个心灵已经得到升华的人不会迷恋于外界的东西,他仅仅会在合适的时候为了完善自己的内心才去利用外界的环境。与这种人相对立的是一种过着平凡生活的人,他们被某些外在的目标所迷住,以至不惜任何代价去追求它们,有时甚至损害健康或丢掉性命也在所不惜。

成人的工作和儿童的工作之间的另一个明显差异是,儿童在工作中并不为了获利或寻求帮助。儿童必须靠自己进行工作,他还必须完成工作。没有人能帮儿童挑起代替他成长的重任。儿童也可能加快他的发展速度。正在生长发育的生物都有一个特点,就是要按照一个预定的计划发展，既不能延缓也不能加快发展的速度。大自然是严厉的，如果有谁偏离正轨，即反常或"拖延"发展，都会受到惩罚。

儿童所拥有的动力与成人不同。成人总是为了外在的目的而行动，他为此而发奋努力并做出艰苦的牺牲。但是，如果一个人要完成这个使命，必须得到他曾在童年时期拥有的力量和勇气。

另一方面，儿童对劳累的工作并不感到疲倦。他通过工作得以成长并增加力量。儿童从不要求减轻负担而希望由他自己完成他的使命。他的生存和发展有赖于他所做的工作，因为他必须工作，否则他就会死亡。

如果成人不了解这个秘密，他就永远也不可能深入地理解儿童工作的重要性。他们会在儿童的工作中设置各种障碍，并认为休息对他们的成长会更加有益。成人会为儿童安排好每一件事情而不让他们自己去做。成人对做同一件事能花费较少的时间和精力感兴趣。他们就凭着自己的经验和敏捷去帮小孩洗手、穿衣，抱着孩子或用小推车推着孩子到处走动，替孩子整理房间而不让孩子插手。

成人一旦给儿童一定的活动空间时，儿童就会立即叫起来："我要做这个！"但在我们的学校中，为儿童提供了一个他们需要的环境，儿童会说："让我自己做，这会对我有帮助。"这些话显示了他们内在的需要。

在这种看似矛盾的背后，隐藏着一个多么深刻的真理啊！成人必须用这样的方式帮助儿童，即让儿童能够从事他自己的工作。这不仅表明了儿童发展的需要，而且还表明了儿童需要一个生机勃勃的环境。这个环境不是为了让儿童去征服或者享受，而是能帮助儿童完善他们的活动的一种手段。很明显，只有了解儿童内在需要的人才能为他们提供这样的环境。因而，我们的教育理念既不同于那些为儿童包办一切事情的想法，也不同于那种让儿童处于一个消极被动的环境中的观点。

因此，仅仅为儿童准备一些大小适合他们身材的用品是不够的，成人还必须受到训练，知道如何去帮助孩子们成长。

PART 28

主导本能

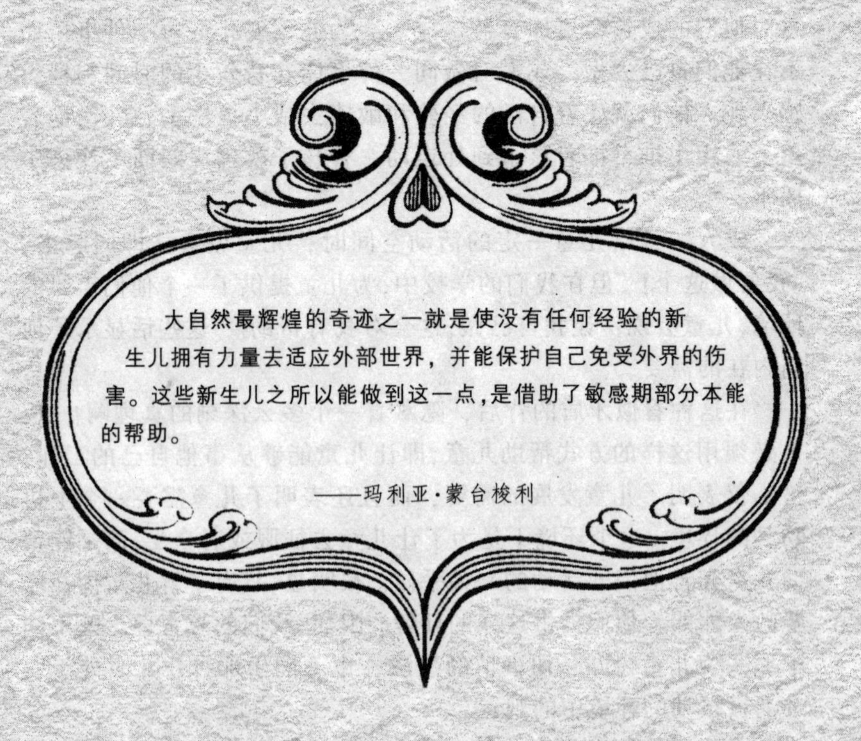
大自然最辉煌的奇迹之一就是使没有任何经验的新生儿拥有力量去适应外部世界，并能保护自己免受外界的伤害。这些新生儿之所以能做到这一点，是借助了敏感期部分本能的帮助。
——玛利亚·蒙台梭利

自然界存在两种生命形式：一种是成熟，另一种是尚未成熟。这两种形式是截然不同的，甚至是相互对立的。成人的生活以斗争为特征。这种冲突可能像拉马克所阐述的，起源于对环境的适应，或者如达尔文所阐述的，可能起源于竞争和自然选择。后一种类型的冲突不仅促进了物种的生存，而且通过两性间的征服引起自然选择。

整个社会从远古到近代的发展历程，可以与成年动物中所发生的事做比较。人必须不停地去努力奋斗以使自己能生存下来并远离敌害。当人类去适应环境时，就会遇到困难和麻烦，他们之间还会因为爱而相互结合。达尔文探索了进化的发展历程。所谓的"进化"，就是指物种的逐渐完善、适者生存、两性间的征服以及物种之间的竞争。这种理论与唯物主义历史学家的理论很相似。历史学家认为人类的进化发展是由于人们之间竞争和努力奋斗的结果。

我们在撰写人类历史的时候，所掌握的唯一材料，就是成人各种各样的活动。但在自然界中并非如此。能够使我们真正理解生命的无数奇迹的钥匙，应该在年幼和正生长发育的生物中。所有的生物在刚出生的时候都非常弱小，根本无法斗争，并且它们在没有任何器官之前就已经存在了。没有一种生物是以成形的形式降生的。

因此，一定存在着另一种形式的生命，另一种生存方式和刺激，它不同于成熟的个体与环境相互作用时所呈现的方式和刺激。对正在生长发育的生物的研究是极为重要的 。因为在它们身上，可以发现生命的关键所在。成熟个体的经验仅仅解释了在生物中发生的一些偶然事件。

研究生物幼年时生活情况的生物学家，使人们了解了大自然中最神奇和最复杂的一部分。他们的研究表明，所有生物都有令人惊叹的奇迹和非凡的潜能。简而言之,整个自然界充满了诗意。生物学已向人们显示,物种是如何通过内在的引导来保护自身的。我们也许可以称之为"主导本能",以此来区别生物面对环境刺激时所做的本能反应。

从生物学的角度来讲,所有的本能可以根据它各自的目的分为两个基本的类别,其中的一类是个体保存的本能,另一类是物种保存的本能。这两类本能都可以在短暂的或长期的反应中发现。例如,个体和它的特殊环境间的短暂冲突以及个体生命延续所必不可少的本能引导。

与个体保存相关的瞬时性的本能之一,就是当发现危害时所进行的自我保护。另一方面,与物种保存相关的本能中,有一种短暂的反应,它将导致两性间的结合或对抗。这些时间较短的本能,由于它们的效果激烈并且明显,生物学家首先对它们进行了观察和研究。但是后来,人们开始更多地关注与个体和物种都相关的,并且时间更持久的本能。这种本能被称为"主导本能"。

生命本身所存在的数不胜数的功能跟这些主导本能是有关的。它们不像微妙的内在敏感性那样能对环境做出那么多的反应。也许可以把这些主导本能看做是生命内在的能帮它应对外部世界的一种非同寻常的思维。因此,这些主导本能并没有短暂的与外界冲突的特征,而是以知识和智慧为特征,它们指导生物穿越时间的海洋达到此物种永生的彼岸。

这些主导本能给处于生命初期的婴儿提供了指导和保护方面的奇迹。这时期婴儿还很不成熟,但已处于正在获得充分发展的阶段。这时的婴儿还没有这个物种的特征,没有力量、没有耐力、没有生物的竞争武器,甚至没有最终取胜的希望,它们只有生存这一种能力。在这里,主导本能就像正在秘密进行创造并帮助它们的母亲或教师,是这些主导本能拯救了既没有力量也没有自救能力的幼小生命。

有一种主导本能与母性有关,法布尔和其他生物学家把它看做是物种生存的关键。另一种主导本能与个体的生长有关,荷兰学者德弗里斯在对敏感期的研究中已经作了描述。

母性的本能,并不仅仅局限于女性,尽管女性是物种的生育者并在保护幼崽方面起了最大作用。母性的本能在父母双方都可以找到,并且常常蔓延到整个群体。对母性本能的进一步研究发现,它是一种神秘的力量,与现存的生物没有必然联系,但它是为保护物种的存在而存在的。

因此,“母性本能”只是一个一般性的定义,它是主导本能中与保存物种相关的一种本能。它具有所有的生物都具有的某种特征。例如,母性本能会使一种动物的成熟本能暂时消失。一头凶猛的动物能因此而表现出非本性的温柔和耐心。一只鸟,不论是飞到远处找食还是躲避危险,都会密切地注视着自己的巢。它会选择各种避免危害的方法,但却决不会丢下它的巢逃走。物种固有的本能会出乎意料地改变它们的特点。许多物种会建造避难的巢穴。这种建造工作的倾向,在其他时候没有表现。因此他们一旦完全长大以后就会使自己去适应大自然。他们建造的活动将只是为后代准备一个隐蔽的地方。每一个物种都有它自己要遵循的计划。没有一种生物会胡乱聚集它最早遇到的材料,或者仅仅使自己适应一个特殊的地方。在这一方面母性本能会给予它们固定的和精确的指导。

人们可以通过观察一个鸟巢来判断这只鸟所属的种类。昆虫是令人不可思议的建筑者。例如,蜂房就是一座名符其实的王宫,蜜蜂用完美的几何曲线把它建造起来。我们也可以注意到其他虽不是如此叹为观止但也非常有趣的例子。蜘蛛为它的敌人编织了巨大的网。但是,它又突然忘了它的敌人和自己的需要,开始着手进行一项崭新的工作。它用丝密实地编了一个小袋。它是不透水的,通常由两层构成,用来抵御蜘蛛栖息地的寒冷和潮湿。蜘蛛在这个小袋里产卵,但令人吃惊的是,这只蜘蛛如此强烈地依恋这只小袋。似乎把小袋视为自己身体的一部分,以至于当它看到小袋遭到破坏时会悲哀地死去。因此,它的爱集中在这个小袋上而不是在它产的卵上或将要从卵里孵出的小蜘蛛上。它甚至没有注意到卵的存在。本能指引这位母亲为它物种的繁衍进行工作,尽管它并没有注意到是否有后代需要她保护。因此,这个蜘蛛受着本能的指引不由自主地去工作,去做它必须做的事,去爱应该爱的东西。

蝴蝶在其整个的生命过程中都以花蜜为食,从不需要其他食物。但是当它们要产卵的时候,却从不把卵产在花上。这时它们会受另一种本能的引导。这种本能已经代替了能给蝴蝶带来好处的觅食本能。这时蝴蝶就去吃另一种食物,这种食物显然对蝴蝶本身没有任何好处,但却对将要孵出蝴蝶的幼虫有益。昆虫就这样服从了大自然的命令,尽管这个命令对它自己不相干,但却对整个物种有益处。瓢虫和类似的昆虫也从来不把卵产在叶子的顶端,而是把卵产在叶子较低的部位。在那里,从卵中孵出来的幼虫将能吃到叶子并得到保护。有许多从来也不以植物为食的昆虫为了后代的营养而去吃植物。它们本能地知道什么是适合它们后代的营养品,并且还能预见到来自太阳和雨天的危险。

一种生物如果负有维护其物种繁衍的使命, 就会改变自己的习性和自己本身。这时指引它自身发展的规律仿佛停止了起作用一样, 好像它停下来在等一个自然奇迹——生育后代的奇迹的发生。这种规律使生物进行了一种超越往日的活动并做出了奇迹般的行为。

事实上, 大自然最辉煌的奇迹之一就是使没有任何经验的新生儿拥有力量去适应外部世界,并能保护自己免受外界的伤害。这些新生儿之所以能做到这一点,是借助了敏感期部分本能的帮助。这些本能引导它们克服接连不断的困难, 并以一种不可抗拒的动力不断地激发它们。大自然有自己的规律,并密切地关注着这些规律得以遵循。成体必须在主导本能允许的范围内保护自己的物种。

正如我们在鱼和昆虫中所见到的, 成年的和刚出生的生物的主导本能以明显不同的和独立的方式起作用。在这种情况下,父母和后代之间没有联系。但在较高等的动物中,这两种本能可以协调一致地工作,母亲的主导本能和她后代的敏感期是一致的。这使母亲和后代之间产生了爱,或者说形成了一种母系关系,这种关系还能扩展到整个有组织的社会中, 由社会承担对下一代的照料。例如,在群居的昆虫中,蜜蜂和蚂蚁就是这样生活的。

是主导本能保护了物种的生存繁衍,而不是爱或牺牲。主导本能来源于生命的创造,它决定所有物种的生存。生物在照料后代时所拥有的情感或情绪,使它们很容易完成自然所给予的使命,并且它们在完全服从自然命令时,还感到了特殊的乐趣。

如果我们希望迅速地了解成体的世界,我们可以说,支配这个世界的规律会同期地出现例外的情况。自然规律似乎是绝对的和不能变更的,但它却为了更高的利益能够暂时不起作用。新的规律征服了这些规律,因为它们更有利于新生儿的需求。因此,自然规律通过不断地停止和更新某些规律使生物得以永恒地存在下去。

现在,我们可能要自问,人是如何适应这些自然规律的。人类是一个集所有比他低等生物的自然现象于一身的高级综合体。他集中体现了它们的特点,并超越了它们,更重要的是,人类运用智慧给所有写进艺术著作中的较低等的生物披上了理性的光辉。

然而,儿童和成人的两种不同的生命形式究竟是怎样的呢?它们是在哪些令人崇敬的领域展现自己的呢?实际上,这两种生命形式并非显而易见。如果我们要想在这个世界中寻找它们,我们只能说只有一个成人的世界,成人的生活只关注身外之物并追求一种舒适的生活。成人的心思集中在征服和生产上,似乎不存在其他重要的东西。人类的精力在竞争中挥霍和削弱了。成人只会从自己的逻辑和视角去看待儿童。他会把儿童看做一种另类,并且远远地躲开这种无用的生命。或者,成人在所谓的教育中一直试图把儿童引向自己的生活轨道。成人如果变成了蝴蝶(如果这可能的话),就会去弄破幼虫的茧,鼓励它飞。或者如果他是青蛙,就会把蝌蚪拉出水面让它在陆地上呼吸,并且想把它的皮肤变成绿色,因为青蛙自己就是绿色的。

成人或多或少就是用这种方式来对待儿童的。成人向儿童炫耀他们自己的成熟和完美,并向儿童树立历史人物作为榜样,希望儿童将来能模仿他们。成人没有意识到儿童恰恰需要一种不同的环境和生命方式。

我们如何来解释人类所形成的这种误解呢? 因为人类是最高级的进化形式,是物质世界中最高的生命形式。他拥有智慧、充分的力量,是环境的主人,在工作方面的优越性是其他生物无法企及的。

然而人,作为他环境的建筑师、建设者、生产者和塑造者,为自己后代所做的事却要比蜜蜂和其他昆虫为它们后代所做的要少得多。难道人类缺乏主导本能这种最高级和最基本的要素吗?难道人类在所有生物都具有的这种确保物种延续的现象面前,真的视而不见、丝毫没有得到启发吗？

人是一个建设者，但他在哪儿为儿童建过一个适宜他们成长的环境呢？那里应该是一个美丽的并且没有被任何外界需要污染的地方。那里还应该富于无需任何回报的慷慨的爱。是否有这样一个地方，在那里成人感到应抛弃他惯有的行为方式，在那里他能意识到竞争并不是生活必不可少的一部分，在那里他终于认识到挫败他人并不是生存的秘诀，而自我克制似乎才是生活的真谛。是不是世界不存在一个人们想把锁住人们心灵的物质镣铐砸碎的地方呢？是不是也不存在一个人们渴望过一种崭新的生活地方呢？同样的，是不是人们也不想追求某种超越个体生命并能达到永恒的东西呢？拯救的方法是这样的：人们必须放弃从前的论证推理，才会开始相信世上应该存在这样的地方。

当一个人有了自己的孩子时，他是会产生这种情感的。他就应像其他生物一样，放弃自己的行为方式，让自己杜绝一些思想，这样才能使生命达到永恒。

是的，在有些场合，当人感到不再需要征服而需要心灵的净化和纯洁时，他就会渴望单纯和平静。在那种纯化的平静中，人们寻求生命的更新，寻求从人世的重负中复活的路径。

确实，人必须要有远离从前生活的伟大渴望。这些渴望代表了一种神圣的声音，只有它才能使成人走进儿童的世界。

PART 29

作为教师的儿童

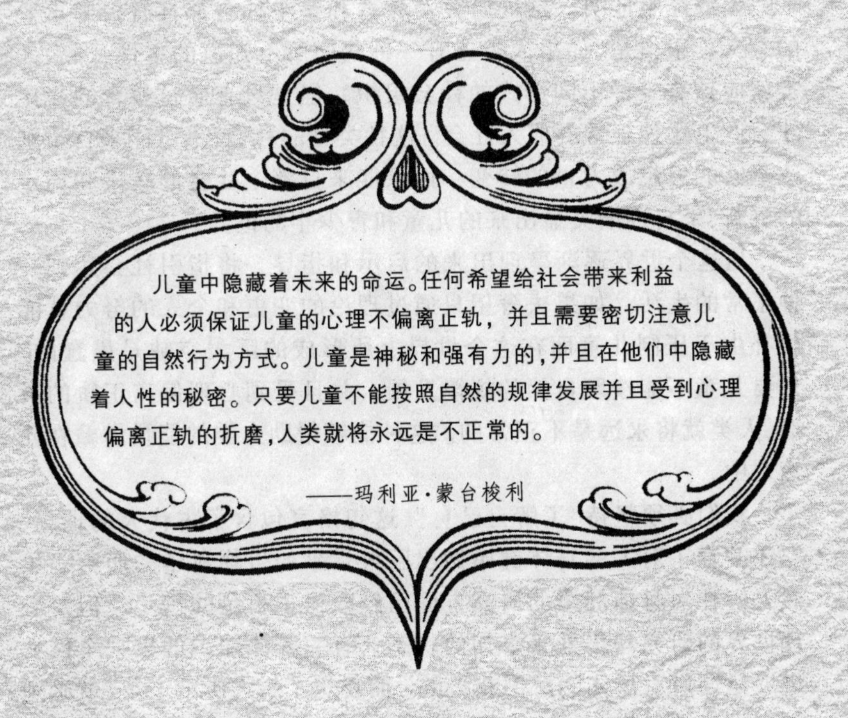

目前，研究的最重要一个目标，就是发现人的主导本能。我们在没有先例的指导下，开辟了这个新的研究领域。我们已经证实了某些本能的存在，并指出了如何对它们进行深入研究。但是，只有在正常的儿童中才能进行这种研究，也就说，对那些生活在适宜的环境里正常发展的儿童进行研究。这样一来，一种新的人性就会清晰地呈现出来，并且毫无疑问这是一种正常的人性。

无数经验证明，这一研究对教育和整个社会都具有极为重要的意义。很清楚，如果人类还有一种我们所不知道的本性，那么人类就应该有一种不同形式的社会组织。但是只有通过教育的作用才会产生这种正常的成人社会。这种类型的社会，不可能来自个别改革家的思想或力量的转变，而只能来自整个社会的缓慢和稳定的更新，来自逐渐突显出来的儿童和青少年的世界。

从这个世界逐渐呈现出来的启示和指导，将指引社会达到一种正常的生活。如果去奢望只通过理论的变更和个人的努力就能填补由于压制儿童而在这个世界上所形成的巨大空缺是愚蠢的。只要儿童不能按照自然的规律发展，并且受到心理偏离正轨的折磨，人类就将永远是不正常的。这种能够帮助人类的能量潜藏在儿童之中。

我们必须坚持“了解自己！”，这句格言包含了古代人的理想，它还孕育了对人的身体健康做出巨大贡献的生物科学的萌芽。虽然人们在对身体健康的研究方面已经取得了长足的进步，但对心理世界的研究却仍处于未知的状态。有关人体知识的第一个巨大进展是通过对尸体的解剖获得的。而要想了解人类的心灵，就必须对新生儿进行研究，这种研究对文明的发展似乎是必不可少的。只要对儿童正常化没有基本的了解，教育和社会的问题就无法得到解决。

成人中的问题也需要这样来解决。我们面临着自我认识的问题,即发现能指导人的心理发展的神秘规律。但是这个问题只能由儿童用实际的方法来解决并且似乎找不到其他方法。那些心理有偏差的成人会去追求权力和威望,他们迷恋于某种利益,而这些利益如没有被正确使用,就会变成危险的东西。这就是为什么任何的利益发明或发现将增加困扰世界的罪恶的原因。我们可以看到机器所产生的罪恶,同时也能看到它们所产生的社会效益。这些机器还可以增加人的物质利益、带来战争或积聚利润。

在物理学、化学、生物学方面所取得的进展,以及交通工具的发现,已经使痛苦不断地加剧并且使野蛮取得了最终的胜利。除非人的正常化被看做是基本的社会需要,否则我们不能寄希望于外部世界。只有当人的正常化被认为是社会的基本需要的时候,物质的进步才能带来真正的福音和更高级的文明形式。

儿童中隐藏着未来的命运。任何希望给社会带来利益的人必须保证儿童的心理不偏离正轨,并且需要密切注意儿童的自然行为方式。儿童是神秘和强有力的,并且在他们中隐藏着人性的秘密。

PART 30

儿童应该享有的权利

在19世纪之前,社会对儿童的关心甚少,儿童完全被托付给家庭照料。他所拥有的唯一保护是父亲的权威,这是2000年前罗马法的遗俗。在漫长的历史进程中,文明取得了进展,与成人有关的法律也有了重大改进。但是儿童仍处于没有任何自我保护措施的状态中。如果儿童有幸出生在一个幸福的家庭,他就可以得到家庭给予的物质、道德和智慧上的帮助。如果一个儿童的家庭没有财力,社会丝毫不会感到对他应付任何责任,这个儿童就只能在物质、道德和智慧的贫乏中长大。社会并没有对父母提出任何要求,以便他们照料好自己的孩子。国家虽然在制定官方文件时如此严密,对最细微的繁文缛节如此谨慎,对制定其他方面的规定如此迫切,但是却对父母如何保护子女让他们健康成长毫不关心。国家也没有给予这些父母任何教导以帮助他们承担职责。即使是现在,一对要结婚的男女所要做的事就是拿到一张证书和举行一个婚礼。

从所有这一切我们可以断定,社会对这些幼小的工作者漠不关心,即使大自然赋予了他们建设人性的任务。与成人一直在获得大量的物质利益相比,儿童则一直处于被冷落和被遗忘的状态。

大约在70年前,医生开始对儿童真正地感兴趣起来,并逐渐认识到儿童是社会的牺牲品。在那种条件下,儿童要比现在遭到更严重的抛弃。那时没有专门为儿童服务的医院和专家。当统计数据揭示了儿童如此高的死亡率时,人们才从迷梦中惊醒过来。这些数字显示,即使一个家庭可以生很多孩子,但也只有相当少的人能活下来。人们认为幼儿的死亡是很自然的,这使得家庭用这种想法自我安慰:我们的后代直接到天国去了。有那么多的儿童死于成人的无知和缺少照料,而他们的死亡却被认为是十分正常的。

但是,当人们开始认识到能够为儿童做某些事情时,就发起了一场广泛的旨在激发父母本性的运动。父母们被告知,仅仅给予子女生命是不够的，他们还应该利用科学的新发现去挽救生病的孩子。这意味着他们必须学会儿童卫生保健，并知道如何运用这些方法。

但是，儿童不仅仅在家庭中遭受痛苦。在19世纪的最后10年，当时医生们正在研究工人的疾病并为社会卫生学打下了基础。医生们发现，儿童除了因缺乏卫生知识而得传染病之外，还在遭受着其他痛苦的折磨。

儿童还必须在学校里承受社会强加给他们的痛苦。在学校学习和写字的时候，由于长时间伏在桌上，导致了脊椎的收缩和胸腔的狭窄，这使儿童易患结核病。长时间没能在光线充足的地方阅读导致了近视，还有长时间的被限制在狭窄、拥挤的地方，使他们的身体普遍衰弱。

但是，儿童的痛苦不仅仅是身体上的，还有精神上的。强制的学习导致了恐惧、厌倦和神经衰竭。他们变得毫无信心，因为忧伤而失去了自然的欢乐。

通常，家庭丝毫不会考虑这一切。父母唯一感兴趣的就是看到子女能通过考试，学得尽可能的快，这样就可以少花些教育费。父母们不大关心子女是否真正的学会了学习或拥有知识。他们只关心学费是否昂贵。他们还感兴趣的是让儿童在尽可能短的时间里获得一张社会通行证。

在当时所作的一些调查，展示了一些有趣的事实。许多儿童进了教室后会觉得疲惫不堪，这是因为他们在此之前已经做了许多事。在上学之前，有些儿童要走好几英里给牛奶订户送牛奶，有些儿童要在街头卖报纸，还有一些儿童得在家里干活。因此，他们到了学校以后，就会又累又饿。这样的儿童却常常因为无法注意听课或未能听懂老师的讲课而受到惩罚。老师出于责任感，更多的还是出于一种权威感，企图借此来唤起儿童学习的兴趣。他们用威胁的手段强制儿童服从，或者在儿童的同伴面前指责他们缺乏能力或意志薄弱，使他们感到羞辱。这样儿童不但受到了家庭的压迫还在学校受到惩罚，这使他们的生命力变得十分脆弱。

这些早期的调查揭示了如此众多的不公正现象，这使人们开始觉醒。学校为此进行了各种各样的改革。现在，医生和教师共同为学生的健康而努力。一些学校的健康课程对所有文明国家都产生了有益的影响。这些做法标志着社会为补偿儿童的损失迈出了第一步。如果我们回想一下人们开始觉醒前的整个历史进程,却无法找到任何承认儿童权利或正确估量他们重要性的证据。然而,耶稣基督为了把人们从盲目中唤醒并给他们指出通往天国的路,他抱了一个儿童说:"如果你不能成为一个真正的儿童, 就不可以进入天国。"但是,成人对这个警告却置若罔闻,仍迷恋于把儿童纳入自己的生活方式,并把自己作为儿童完美的榜样。他们惊人的盲目性看起来是无药可救的。这种普遍的盲目性自从人类诞生就已经开始了,它一定是人类心灵中的众多奥秘之一。

从遥远的古代到现代,教育一直跟惩罚具有同样的含义。教育的目的,就是让儿童像成人一样做事。成人使自己代替了自然,抛弃了生命的规律,而以自己的意愿和意图取而代之。在《旧约全书》的箴言中,可以找到支持成人这样做的证据。父亲们在这本书中认识到,如果不用棍棒就会宠坏孩子。在几千年的历史中,人们几乎一直是这样做的。不同国家的人用不同的手段惩罚儿童。在私立的学校里通常有固定的惩罚模式。这些惩罚可能包括:在儿童的脖子上挂一块羞辱他的牌子,把驴的耳朵竖在他的头上,或者使他面临每个过路人的侮辱和嘲笑。还有其他使儿童承受肉体痛苦的惩罚,其中有强制儿童面对墙角站数小时,裸露膝盖跪在地板上,或在众人面前受鞭打。现在的教育把这种野蛮的行为做了巧妙的改进。学校和家庭开始联合起来惩办儿童。在学校中已经受到惩罚的儿童,回家后还必须把他所犯的错误告诉父亲, 这样父亲就会再次责备和惩罚他。然后,父亲会写张便条表明他已知道孩子所犯的错,并让孩子把便条带到学校。

在这种情况下,儿童发现他不可能保护自己。他能向哪一个法庭求助呢?他甚至还没有被宣判有罪的人的申诉权。他在受到责备后,也无法找到诉苦之处。教师和家庭相信,只有他们联合起来对儿童进行惩罚才会有效。但是教师并不需要再次提醒父母去惩罚他们的孩子。对儿童受惩罚的各种方式的研究显示,即使在现代,每个儿童在家中都会受到惩罚。他们被训斥、侮辱、打巴掌、挨揍、关进暗室里,甚至被威胁说要对他们进行更严厉的惩罚。他们还会被剥夺跟其他儿童游戏或吃糖果之类的娱乐活动，而这些活动是他们唯一的庇护所，是他们在不理解中承受痛苦的唯一补偿。还有，他们被迫不吃饭就去睡觉，由于悲伤和饥饿，他们要度过痛苦难熬的一夜。

虽然在有教养的人中，这类惩罚已逐渐消失，但也没有完全消失。他们仍用刺耳和威胁性的声调对子女呵斥。成人认为惩罚儿童是他们的天赋权利。母亲认为打孩子一巴掌是一种职责。

体罚由于在成人看来是一种对人的尊严的侮辱和社交上的耻辱，所以成人之间禁止体罚。但是，难道还有什么东西像侮辱、打骂儿童一样卑劣的吗？在这方面，成人的良心完全麻木了。

文明的进步不再依靠某个人的努力或是燃起人们的热情。它就像一架无声无息向前运行的机器。它的动力是一股朝前运动的庞大的非个人的社会力量。

社会就像一列以令人眩晕的高速朝着某个遥远的目标前进的火车。构成这个社会的人，可以比作车厢中熟睡的旅客。他们那处于沉睡中的本性是前进的最大障碍。如果情况不是这样的话，在运输工具日益加快的速度和人的心灵日益僵化之间就不会存在这样危险的差距了。走向社会改革的第一步也是最困难的一步，就是去唤醒沉睡中的人性，强迫它听听正在召唤它的声音。当今社会所迫切需要的是把儿童从危险的深渊中拉出来。儿童的社会权利必须得到承认，只有这样社会才能为他们建设一个适于他们成长的世界。社会所犯的最大错误就是把本该花在儿童身上的钱，花在了能给儿童和社会本身带来危害的东西上。

社会就像是一个任意挥霍儿童财产的监护人。成人把钱花在自己身上建造他们想要的东西，然而很明显，这些钱中的大部分本该是留给儿女的。这是生命本身所包含的真理，甚至在最低等的昆虫中也可以发现这一点。蚂蚁为什么要储存食物呢？鸟儿为什么要寻觅食物并带回巢里去呢？大自然并没有教成人去耗费掉所有的东西并把后代抛入不幸之中。然而，成人仍然没有为儿童做任何事情。他们只是让儿童活了下来，如此而已。当社会由于浪费挥霍而急需钱财时，就会从学校中攫取，尤其是从保护人类生命萌芽的幼儿学校中攫取。社会之所以能从这些学校中把钱取走，是因为没有为这些学校辩护的呼声。这是人类最大的罪恶和错误之一。社会甚至没有想到，当它把这些钱用于制造战争工具时，导致了双重毁灭。一方面没有保护幼小的生命,另一方面又带来了死亡。这两种毁灭都来自同一个错误。由于成人没有为确保儿童的健康成长做出努力,所以人是以一种不正常的方式长大的。因此,成人必须组织起来,不是为他们自己而是为他们的孩子组织起来。他们必须为儿童的权利大声疾呼,虽然他们习惯性地无视这个权利,但是这个权利一旦得到了肯定,就再也不会有人对此表示怀疑了。尽管社会一直是儿童不可靠的监护人,但它现在必须正确地处理这件事情,把本应属于儿童的财产还给他们。

父母的使命

父母并不是子女的创造者,而只是他们的监护人。他们必须像承担着某种崇高使命的人一样去保护儿童,深切地关心儿童。为了这个使命,父母应该净化大自然赋予他们对子女的爱,应该尽力去明白这份爱是内心深沉情感的外露，决不应该对它留有私心或稍加怠慢。父母应该关注这个重大的社会问题,并为儿童的权利而斗争。

近年来,人们已经较多的关注了人权特别是工人的权利。而现在,该是谈论儿童社会权利的时候了。承认工人的权利,对社会来说具有非常重要的意义，因为人类的生存只依赖于人的劳动。但是，如果就工人生产人们的消费品而言，他们是物质财富的创造者，而儿童却创造人类本身，那么他们的权利就更需要得到承认了。很明显,社会应该慷慨地给予儿童最多的关怀,这样,反过来社会也可以从儿童那里获得新的能量和潜力。

人们应该为以下的做法感到良心不安:他们忽视、遗忘了儿童的权利,他们没有认识到儿童的价值、力量和儿童的真正本性。

父母有一个很重要的使命。他们是唯一能够联合起来改造社会来拯救孩子的人。他们必须意识到这是大自然托付给他们的使命。就他们赋予孩子生命而言,他们因此肩负着一个重要的职责,就是掌握着人类未来的命运。如果他们没有履行应尽的职责,他们就会像柏拉多一样。

柏拉多本应拯救耶稣基督,但他却没有这样做。一群持有古代偏见思想的暴徒想要救世主的命，而柏拉多却没有坚决有力地反对他们。

如今父母的行为与柏拉多的行为很相像。他们把儿童扔给社会习俗就不管了,仿佛这样做是不可避免的。社会上没有保护儿童的呼声,如果有的话,那应该是爱的呼声、爱的力量和父母的职责。

正如爱默生所认识到的,儿童就像弥赛亚一样,他降临到堕落的人间就是为了引导人们重返天国。

图书在版编目（CIP）数据

童年的秘密 / (意)蒙台梭利著；金晶，孔伟译. —北京：中国发展出版社，2006.1 重版（2007.1 重印）
（蒙台梭利幼儿教育原版翻译教材）
ISBN 7-80087-653-5

Ⅰ. 童… Ⅱ. ①蒙… ②金… ③孔… Ⅲ. 学前教育-研究 Ⅳ. G61

中国版本图书馆 CIP 数据核字（2003）第 045031 号

书　　名：童年的秘密
原 著 者：[意]玛利亚·蒙台梭利
译　　者：金晶　孔伟
出版发行：中国发展出版社
（北京市西城区百万庄大街 16 号 8 层　100037）
标准书号：ISBN 7-80087-653-5/ G·70
经 销 者：各地新华书店
印 刷 者：北京源海印刷有限责任公司
开　　本：1/16　640×960mm
印　　张：13
字　　数：180 千字
版　　次：2006 年 1 月第 2 版
印　　次：2007 年 1 月第 2 次印刷
定　　价：18.00 元

咨询电话：（010）68990692　68990622
购书热线：（010）68990682　68990686
网　　址：http://www.develpress.com.cn
电子邮件：fazhan@drc.gov.cn
